海外小説の誘惑

シカゴ育ち

スチュアート・ダイベック

柴田元幸＝訳

白水uブックス

わが兄弟、デイヴとトムに

汝らパンを食らう卑しき者が
天使とされるまで。

目次

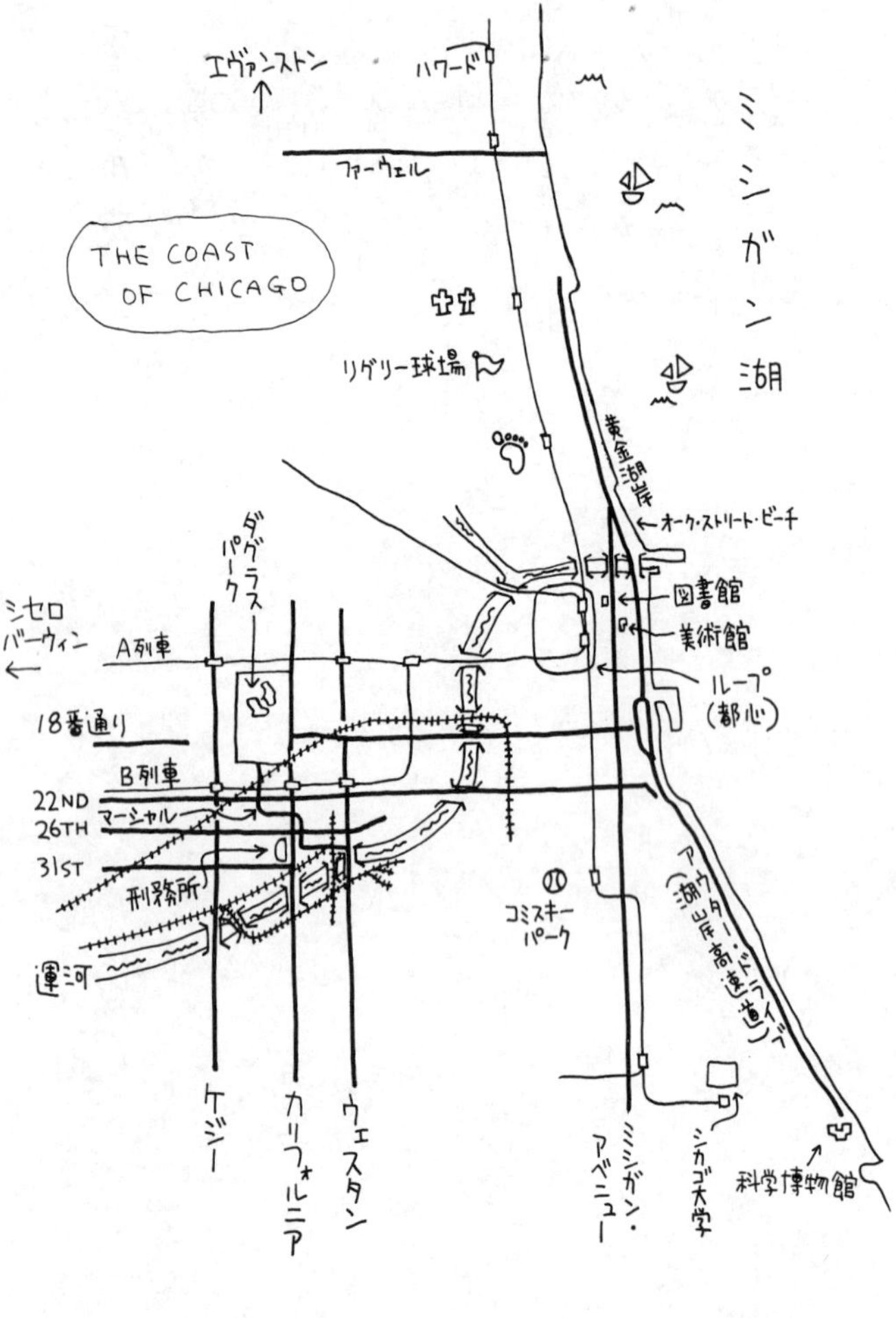
THE COAST OF CHICAGO
エヴァンストン
ハワード
ファーウェル
ミシガン湖
リグリー球場
黄金湖岸
オーク・ストリート・ビーチ
ダグラス・パーク
シセロ
バーウィン
A列車
図書館
美術館
ループ
(都心)
18番通り
B列車
22ND
26TH
マーシャル
31ST
刑務所
運河
コミスキー
パーク
アウター・ドライブ
(湖岸高速道)
ケジー
カリフォルニア
ウェスタン
ミシガン・
アベニュー
シカゴ大学
科学博物館

記憶というもののなかで、価値あることはただ一つ
——それは、夢を呼び戻す偉大なる力。

——アントニオ・マチャード

ファーウェル

今夜、小雨がたえまなく降りつづけ、街灯の光も霧に煙り、雨を集める光の漏斗《じょうご》のように見える。ここはファーウェル。アパートに並んだバルコニーの窓が、濡れたテニスコートに映っている。それはかつて僕の友バボヴィッチが住んでいたアパートだ。僕はふと思った。いつかは僕もこの町を去るのだろうか？　バボに会いに、はじめてファーウェルを歩いた晩のことを僕は思い出した。バボは僕が受講していたロシア文学のゼミの先生で、僕を家に招待してくれたのだ。先生に招かれるなんて、はじめての体験だった。「いつがいいですか？」と僕は訊ねた。

「お客はいつだって歓迎さ」と彼は答え、住所を紙になぐり書きした。「電話はないよ」

冬の晩で、雪が降っていた。バボのアパートは通りのいちばん奥にあった。道はそこで湖につき当たって行きどまりになっていた。雪がびっしり貼りついた金網の向こう側で、テニスコートも、吹きよせた雪に包まれていた。コートと並んで小さな公園があり、その先には白い桟橋があって、緑の灯台の光に向かって伸びていた。雪が舗道や縁石の輪郭を消し去っていた。桟橋も道路のつづきのように見えた。まるでファーウェルがそのまま湖までつき出ているみたいだった。僕は灯台の光の方に歩いていった。波としぶきに削られた氷が、甲羅のように桟橋を覆っていた。安全用ケーブルも灯台の塔も、氷のさやに包まれていた。何もかもが凍りついた静けさのなか、浮氷の下で湖がきしむのが聞こえた。桟橋がぶるっと震えるのが感じられた。僕はアパートの方に戻りはじめた。と、歌声が聞こえたような気がした。

テニスコートの向こう側から響いてくるそのバリトンは、合図でも送るみたいにカーテンがひらひら揺れているバルコニーの窓から漂ってくるらしかった。きっとあれがバボの部屋だ。呼鈴を鳴らす代わりに、僕はテニスコートに立ち、それが何の歌か聞きとろうとしたが、歌詞はぼんやりとしか伝わってこなかった。僕は降りたての雪で雪玉をつくり——よく締まった玉をつくるにはふわふわすぎる雪だ——それを窓めがけて山なりに投げ上げた。玉は窓に命中し、柔らかなふうんという音を立てた。これでバボも窓辺に出てくるだろう、と僕は思った。ところが代わりに、音楽がやんだ。僕は雪玉をもうひとつ投げ上げた。と、アパートのなかのブロンズ色の明かりがぱっと消えた。僕はしかたなくアパートの玄関に回っていって、アンドレイ・バボヴィッチと書かれたかたわらのベルを押した。返事はなかった。あきらめて帰ろうとしたところで、玄関のドアにはめた面取りガラスに、バボの顔が拡大されて映っているのが見えた。ドアを開けた彼は、にやっといかつく笑ってみせた。それは僕にも見覚えのある笑顔だった。教室で詩を朗読するとき——まずはじめにロシア語で歌うように、それからためらいがちにイギリスなまりの英語に翻訳するのだ——バボの顔に現われる笑顔である。

「やあ、君か」と彼は言った。

「今晩でよかったでしょうか？」

「もちろんだとも。さあ、お入り。お茶を入れよう。それと、強いのを一杯引っかけて体を暖めたまえ」

「どの窓が先生の部屋か見当をつけて、呼鈴代わりに雪玉を投げたんですけど」

「何だ、君だったのか！　私はまた、シャリアピンが運命を嘆くのを聞いた不良どもが怒り狂ったのかと思ったよ。ロシアオペラというのは、ロックンロールに中毒していない人間にもそういう効果を及ぼすことがあるものでね。つぎは何が来るかと思ったよ——煉瓦かな、とね。それで音楽を止めて部屋を暗くして、床に伏せたわけさ」

「すいません」と僕は言った。「何も考えてなかったんです——どうして素直に呼鈴を鳴らさなかったのかな」

「いやいや。うまくいけばこっちも、千両役者堂々たる登場、だったろうにな。チャンスを逸して残念だね。もっとも、窓から顔を出して、闇のなかに君がいるのが見えたとしても、やっぱり不良どもだと思ったかもしれんが」彼はそう言って笑った。「ごらんのとおり、私の神経はいささかくたびれていてね」

ブロンズの明かりがふたたび部屋にともっていた。バボの部屋は、書物が家具代わりに並んでいるという感じだった。さまざまな言語の本が壁を埋め、床にもびっしり積まれていた。家具と見えるのも、要するにさらなる本の箱だった。かつて彼が開いた小さなロシア語書店のストックの残りである。脅迫状が何通も送られてきて——一度は爆弾も送られてきた——店じまいせざるをえなかったのだ。

机の上の壁には、オデッサの市街図が画鋲で止めてあった。黒海に面したこの町が、バボの生まれ故郷だった。二、三の道路沿いに、赤インクでいくつか丸が書きこんであった。その晩には訊かなかったけれど、あとでもっと親しくなってから、赤丸は何のしるしなのか僕は訊ねてみた。

「おいしいパン屋だよ」と彼は答えた。

大学に契約を更新してもらえなかったとき、バボはあっさりよそへ移っていった。僕は驚かなかった。戦争中に英国軍に投降して以来、彼はずっと動きつづけてきたのだ。イギリスに住んだこともあれば、カナダに住んだこともあった。つぎはどこなのか見当もつかんよ、と彼は言っていた。でもね、ひとつの場所にとどまっていると、いずれ遅かれ早かれ、自分が属す場所がもうなくなってしまったことを思い出してしまうんだよ、と。そして彼はファーウェルに住んだ。さようなら《フェアウェル》、と言っているような名前の通りに。

今夜、僕はファーウェルを走って湖まで行った。テニスコートを抜け、緑の灯台のある桟橋を過ぎ、人けのない岸辺を走った。波が打ちよせていた。誰かに追われているみたいに、泡立つ波打ちぎわを綱渡りするように僕は走った。靴が砂から足跡の塊をひき剝がしていった。自分のアパートに戻ったのは、もう遅い時間だった。廊下は静かで、夕食のなごりの煙が電球を包んでいた。暗闇のなかで、窓を開け放った僕の部屋は、濡れた網戸とミカンの匂いがした。

冬のショパン

18番通りのアパートにジャ＝ジャがやって来て僕らと一緒に住むようになった冬は、ミセス・キュービアックの娘さんのマーシーが妊娠してニューヨークの大学から帰ってきた冬だった。マーシーは音楽の奨学金をもらって大学に進学していた。それまでミセス・キュービアックの家族で大学に行った人は一人もいなかったし、高校まで上がったのも彼女がはじめてだった。

マーシーが帰ってきてから、僕は一度だけ彼女を見かけたことがあった。うちのドアの前の踊り場で遊んでいたら、彼女が階段を上がってきたのだ。こんちは《ハィ》、と僕らは挨拶を交わした。彼女は妊娠しているようには見えなかった。痩せていて、黒いコートを着ていた。銀色がかった毛皮の襟を引っぱり上げて顔をくるみ、長い金髪を襟の内側にたくし込んでいた。廊下の電灯の光を浴びて、毛皮についた雪のかけらが水玉に変わっていくのが見えた。彼女の顔は青白かった。目の色はミセス・キュービアックと同じ、はっと驚いたようなブルーだった。

マーシーは僕にほとんど目もくれずに通り過ぎ、階段を上っていったが、それからふと立ち止まった。そして手すりから身を乗り出して、「前によく夜泣きしてた坊やは、あなたかしら?」と訊いた。彼女の声は優しかった。でもちょっとふざけているみたいな感じもあった。

「わかんない」と僕は言った。

「もしあなたの名前がマイケルで、あなたの寝室が四階で、窓が私の部屋の窓の真下にあるんだったら、そのはずよ」と彼女は言った。「あなたが小さかったころ、夜になると時どき、あなたがわあわあ泣いてるのが聞こえたわ。たぶん、私には聞こえた声が、あなたのママには聞こえなかったのね。音が上に伝わってきたのよ」

「僕の泣き声で起きちゃったの?」

「それは心配いらないわ。私、もともとすごく眠りが浅いの。雪が降っても目がさめちゃうのよ。何とかしてあなたを助けてあげられたらなって、よく思ったわ。ほかのみんなはぐうぐういびきをかいているのに、あなたと私だけ、真夜中に一緒に起きているんですものね」

「泣いたのなんて覚えてないな」と僕は言った。

「悲しいことがなくなると、たいていみんな忘れちゃうのよ。いまはどうやら、悲しいこともあんまりなさそうね。ずっとそういうふうでいるのよ、坊や」。彼女はにっこり微笑んだ。素敵な笑顔だった。その目は、自分の微笑に驚いているみたいに見えた。「じゃあね《トゥー・ダ・ルー》」と彼女は指を振った。

「じゃあね《トゥー・ダ・ルー》」見送りながら僕も指を振った。マーシーがいなくなって一分後、僕は彼女を恋しがりはじめていた。

うちの大家さんのミセス・キュービアックは、午後になるとお茶を飲みに降りてきて、僕の母さんを相手に、泣きながらマーシーの話をした。子供の父親が誰なのか、マーシーはどうしても言わないらしかった。司祭さまにも言わない。教会へも行かない。彼女はどこへも行こうとしなかった。お医者さんまで、往診に来てもらわねばならなかった。それも、子供のころかかりつけだったシュトゥレク先生以外は、誰も近づけようとしなかった。

「あたしは言うね、『マーシー、娘や、何とかしなくちゃいけないよ』ってね」とミセス・キュービアックは言った。「『いままでの苦労はどうなっちゃうのね？　練習とか、レッスンとか、先生とか、賞とか？　お金持ちの人たちをごらんよ。みんなね、これが欲しいと思ったらね、どんな邪魔が入ったってめげやしないね』」

絶対内緒にしてねと念を押してから、ミセス・キュービアックは母さんに向かってそんなふうに打ち明けた。はじめは声も秘密めいたひそひそ声だったが、悩みごとを列挙しているうちにだんだんそれも大声になっていった。声が大きくなるにつれて、ミセス・キュービアックの英語は次第に乱れていった。まるで、彼女の悩みと苦しみのあまりの重さに、言語がその限界を越えてあえいでいるみたいだった。やがて、思いの波が彼女をうちのめした。彼女はしくしくと泣き出し、僕の理解できないボヘミア語を喋り出した。

僕はいつもダイニング・テーブルの下にもぐり込んで話を聞いていた。椅子の脚が並ぶ森で、僕のプラスチックのカウボーイたちが馬を疾走させるなか、ミセス・キュービアックが語るマーシーの話に僕は耳を澄ませた。マーシーのことなら何でもすべて聞きたかった。聞けば聞くほど、階段で彼女が僕にくれた笑顔が、ますます大切なものになっていった。それは僕たちを結ぶ秘密の絆のように思えた。いったんそう決めると、ミセス・キュービアックの話を聞くことも、スパイ活動のように思えてきた。僕はマーシーの味方であり、共謀者なのだ。彼女が僕に話しかけてくれたのも、この僕が、彼女が逃げようとしている世界とは違うところにいるからなのだ。あんなふうにふるまっている理由が何であろうと、どんな秘密があろうと、僕は彼女の味方だった。空想のなかで、僕は自分の忠誠を何度も何度も証明した。

夜になると、彼女が弾くピアノの音が聞こえてきた。低くこもった、音階を上ったり下ったりする音。何となくどこかで聞いたことがあるような気もした。もしかしたらそれは、僕の頭のなかに、何年も前、まだニューヨークへ行く以前のマーシーが練習しているのを聞いた記憶が残っていたからかもしれない。音は台所の天井を通って響いてきた。僕は夕食のお皿を拭き、ジャ＝ジャは椅子に座って足をお湯に浸していた。ジャ＝ジャは毎晩、湯気の立つお湯をバケツに入れ、そのなかに錠剤を一粒入れた。とたんに勢いよく泡が立ち、お湯は明るいピンク色に変わった。ジャ＝ジャはそのなかに足を浸す。湯気とピンクの泡とに包まれたジャ＝ジャの両足は、ズボンをまくり上げた膝まで、ずっと消えない凍傷の跡が残っていた。

ジャ＝ジャの足はひづめに変身しかけているように思えた。かかとも足の裏も不格好にはれ上がり、うろこのようなかさかさに覆われていた。馬の歯みたいに黄色い爪が、節くれだった指先からくねくね伸びていた。若いころプロシアの軍隊から脱走し、クラクフからグダニスクまで真冬の道をほとんど歩き通して、足が凍りついてしまったのだ。その後、アラスカで金鉱を掘っている最中、足はまたも凍ってしまった。ジャ＝ジャの過去について僕が知っていることは、要するにだいたい全部、足の歴史だった。

時おり、叔父さんたちがジャ＝ジャの話をすることがあった。それを聞いていると、ジャ＝ジャは生涯を放浪して過ごしてきたらしかった。米西戦争のあとにフィリピンへ渡って、イゴロト族相手に犬を売る。ペンシルヴェニアのジョンズタウンの炭坑で働く。五大湖ではしけ人足をやる。列車に乗って西部をさすらう。うちの家系で、ジャ＝ジャとかかわりたがる人は誰もいなかった。あんなに何度も俺たちを置き去りにしちまうんだものなあ、あれなら父親なしで育つほうがまだましだよ、とローマン叔父さんは言った。

おばあちゃんはジャ＝ジャのことを「パン・ジャベル」と呼んだことがあった。「悪魔氏」。でもその言い方は、ジャ＝ジャのことを面白がっているみたいにも聞こえた。ジャ＝ジャはおばあちゃんを「ゴレル」と呼んだ。「田舎者」。そして自分は金も教育もある家の出だと言った。それが地所から何からプロシアに取られてしまったのだ、と。

「地所持ちが聞いてあきれるね！」とローマン叔父さんはあるとき僕の母さんに言った。「人でなし《バスタード》の真似ばかりやった上に、ばあちゃんが言うにゃ、ほんとに私生児《バスタード》だったたって話じゃないか！」

「まあまあ、ローミー、恨んでもしょうがないでしょ」と母さんは言った。

「誰が恨んでるっていうんだ、エヴ？　いいか、ばあちゃんを埋葬するってときにも帰ってこなかったんだぜ。あれだけは絶対許せん」

たしかにジャ＝ジャはおばあちゃんの葬式に出なかった。例によってどこかに雲隠れしていて、知らせようにも行方知れずだったのだ。もう何年ものあいだジャ＝ジャは、誰にも何も言わずにいなくなってしまい、また突然ひょっこり戻ってくる、そのくり返しだった。帰ってくると、みすぼらしい格好で、酒の臭いをぷんぷんさせ、二着しかない上着を重ね着してしばらくはぶらぶらしていたが、いずれまたふいと姿をくらましてしまうのだった。

「どこにいるか知りたいか？ ドヤ街に行って、浮浪者に訊きな」ローマン叔父さんはよくそう言った。

叔父さんたちの話では、ジャ＝ジャは列車の車両やビルの地下室、誰も住まなくなった建物などに寝泊りしているらしかった。バスの窓から外を眺めていて、ふと広告板の蔭などに、老いた男たちが、ゴミを燃やした焚き火を囲んで立っているのが見えたりすると、ジャ＝ジャもあのなかにいるのかな、と僕は思ったものだ。

そしていま、ひどく齢をとって、体も衰弱してきたジャ＝ジャは、うちの台所でじっと座っていた。雪の18番通りを裸足で歩いてきたみたいに痛む、かじかんだ足を抱えて。

ジャ＝ジャの体が「衰弱《フェイル》」してきたという言い方をしたのは、叔父さんや叔母さんたちだった。その言葉を聞くと、僕はいつも落着かなくなった。僕もやっぱり落第《フェイル》していたからだ。スペリングが落第、国語が落第、歴史も地理も落第、算数以外はほとんど全部落第だった。算数にしたって、字じゃなくて数を使うから落ちずに済んだだけの話だ。とびっきり落第だったのは、書き方だ。あなたの字ときたら読めたもんじゃありません、と学校のシスターにも叱られた。スペリングも難民なみです。

この調子じゃもう一度同じ学年をやってもらうかもしれませんよ、そう脅かされた。

僕の落第のことを、母さんは人には内緒にしておいた。日曜日に叔父さんたちが訪ねてきたときに話しあうのも、もっぱらジャ＝ジャの衰弱のほうだった――年寄りにはちょうど聞こえないところまで落としたひそひそ声で。ジャ＝ジャはものすごい顔でみんなを睨みつけていたけれど、自分について言われていることを、あえて否定しようとはしなかった。そもそも、ふたたび姿を見せて以来、ジャ＝ジャは一言も口をきいていなかった。そのだんまりが、老けたせいなのか、単に頑固なせいなのか、それとも耳が聞こえなくなったからなのか、誰にもわからなかった。足に加えて、ジャ＝ジャは耳も凍りついてしまっていた。角みたいな眉毛と同じ色の、針金のような白髪が、房になって耳から突き出ていた。あれを刈りとればもう少し聞こえるようになるのかな、と僕は考えた。

毎晩、僕と二人きりで台所にいても、日曜と同じで、ジャ＝ジャはやっぱり何も喋らなかった。母さんは居間にいて、簿記の通信教育に熱中していた。ピアノの音が、天井を伝って重く響いてきた。耳から聞こえるというより、体で感じられる音。特に低音はそうだった。時たま、和音が打ち鳴らされたりすると、引出しにしまったナイフやフォークががしゃんと鳴り、コップがぶーんと唸った。

階段を上っていったマーシーは、ひどく痩せた華奢な体をしていて、これほどの力が出せるようには見えなかった。でもピアノのほうは、巨大で、いかにも力強そうに見えた。一度だけ、母さんに連れられて、上の階のミセス・キュービアックの住まいを訪ねていったときのことを僕は覚えていた。マーシーはもう大学に行っていた。ピアノは誰にも使われないまま――上屋根は下ろされ、鍵盤にも蓋がしてあった――住まい全体を威圧するようにどっしりと居座っていた。午後の光を浴びて、黒い木の表面が、まるでガラスか何かみたいに深みのある輝きを返していた。ペダルはブロンズ色に磨き込まれ、ピアノのペダルというより、路面電車の運転手が踏むペダルがこんな感じじゃないかな、というふうに見えた。

「きれいねえ、マイケル」と母さんが言った。

僕は大きくうなずいた。ひょっとしたらミセス・キューピアックが、ちょっと弾いてみたらどう、とか何とか言ってくれるかもしれないと思ったのだ。でも彼女は何も言わなかった。

「どうやってここまで上げたんですか？」と僕は訊いてみた。こんな大きなピアノが戸口を通るとはとうてい思えなかった。

「大変だったね」とミセス・キューピアックは驚いたような声で答えた。「おかげでうちの亭主はヘルニアになっちゃったね。ヨーロッパからはるばる船で来たピアノね。誰だか年寄りのドイツ人が、何でも偉い音楽家らしいけど、コンサートをするんでここまで持ってきてね、病気になって、ピアノを置いてっちゃったね。ドイツに帰っちゃったのよ。その人それからどうなったか、神さまだけが御存じね——その人、ユダヤ人だったとあたし思うね。ホテル代も払ってなかったから、ピアノを競売に出したのね。人生ってそんなものよ、ね？　そうじゃなきゃ、こんなの買えるわけないね。うち、お金持ちじゃないからね」

「それでもずいぶん高かったでしょう」と母さんが言った。

「安い安い、亭主で払ったからね」とミセス・キューピアックは言って、笑った。でもそれはぎこちない作り笑いだった。「人生ってそんなものよ、ね？」と彼女は言った。「女って亭主いないほうが幸せかも、ね?」。そして、ほんの一瞬、僕の母さんをちらっと見て、それから目をそらした。それは僕にも見覚えのある目つきだった。よその人が、母さんや僕の前で、僕の父さんが戦死したことを思い出させるような言葉をうっかり口にしてしまったときに、みんな決まってそういう目をしたのだ。

ナイフとフォークは鳴り、コップが唸った。遠い雷のように、天井や壁を伝わってくる底深い音は、僕の歯と骨にもじかに伝わってきた。音楽を聞いている、というふうでもなかったけれど、ジャ=ジャが目を閉じ、精神を集中させるみたいに顔を歪めて、体を小刻みに揺すっていることがだんだん多くなっていった。何が聞こえているんだろう、と僕は不思議に思った。母さんが言うには、母さんがまだ小さかったころ、ジャ=ジャはバイオリンを弾いたということだった。でも僕が知るかぎり、これまでジャ=ジャが興味を示した音楽といえば、「フランキー・ヤンコヴィッチ・ポルカ・アワー」だけだった。番組がはじまると、ジャ=ジャは音量を上げて、ラジオに耳をくっつけんばかりにして聞き入っていた。マーシーが何を弾いているにせよ、それはフランキー・ヤンコヴィッチには似ていなかった。

そしてある晩、時おり唸り声を立てる以外は何週間も黙りこくっていた末に、ジャ=ジャが言った。

「ありゃブギウギだ」

「なあに、ジャ=ジャ?」僕はびっくりして訊いた。

「黒人《ブギ》がやる音楽だよ」

「上で鳴ってるやつのこと? あれはマーシーだよ」

「黒人の男に恋してるんだな」

「お父さんたら、子供相手に何を言ってるの？」と母さんがきつい口調で言った。ジャ＝ジャが喋っている最中に、ひょっこり台所に顔を出したのだ。

「ブギウギの話だよ」。バケツのなかで、ジャ＝ジャの両足が揺れた。ピンク色のお湯がリノリウムの床にこぼれた。

「この家でそんな話をしてほしくないわ」

「どんな話だね、エヴーシャ？」

「この家で子供にそういう偏見を聞かせる必要はないわ」と母さんは言った。「外に出れば、嫌でも耳に入ってくるんだから」

「わしゃただブギウギだって言っただけだよ」

「その足、居間のスチームの前で浸したほうがいいんじゃないかしら」と母さんは言った。「新聞紙を広げればいいわ」

ジャ＝ジャは座ったまま、聞こえなかったみたいに眉にしわを寄せた。

「聞こえたでしょ、お父さん。居間で足を浸けなさいって言ったのよ」ほとんどどなるような声で、母さんはそうくり返した。

「何だね、エヴーシャ？」

「まだいくらでも大声出すわよ、お父さん」

「ブギウギ、ブギウギ、ブギウギ」とジャ＝ジャはぶつぶつ呟いて、裸足でリノリウムの床を濡らしながら台所から出ていった。

「どうせなら頭もお湯に浸ければいいのよ」ジャ＝ジャの背中に向かって、聞こえないくらいの小声で母さんはそう呟いた。

母さんはいつも、家のなかでは丁寧な言葉を使いなさい、と口をすっぱくして言っていた。誰かが「プリーズ」とか「サンキュー」を言い忘れたりすると、それは母さんの耳には、下品な言葉を聞かされたのと同じくらい不快に響いた。

「『イエス』でしょ、『イエー』じゃないのよ」と母さんは正した。あるいは、「『ヘイ』が欲しかったら納屋に行きなさい」［hey は hay［干し草］と発音が同じ］。母さんにとって、ain't［isn't, haven't などの卑俗な言い方］なんて言葉は怠惰のしるしであり、汚れた靴下を放り出しておくのと同次元の悪業だった。日曜日にうちで開かれる一族のパーティーで少しお酒がまわったときでも、叔父さんたちは汚い言葉を使わないよう気をつけていた。みんな兵隊帰りで、汚い言葉が身に染みついているのに、である。ドイツ人をクラウトと呼んだり、日本人をニップと呼んだりするのも許されなかった。母さんに言わせれば、言語の不正な用法のなかでも、人種的中傷こそ何より甚だしい無知の産物であり、ゆえに何にもまして忌まわしいものだった。

叔父さんたちはどのみち戦争の話をあまりしたがらなかったけれど、それでもそうやって一緒に集まっていると、大声の会話や冗談の蔭で、もっと深い、もっと悲しい思いをみんなで分かちあっているような雰囲気が、部屋のなかに漂ったものだ。母さんは軍服姿の父さんの写真をしまい込み、代わりにもっと昔の、戦争前にわが家にあった自動車のステップに腰かけている写真を飾っていた。父さんはにっと笑って、近所で飼っていたスコティッシュ・テリアの頭をなでていた。その写真と、結婚式の写真。母さんが飾っていたのはその二枚だけだった。僕が父さんのことを覚えていないことは承知していたから、僕の前では母さんもめったに父さんの話をしなかった。でもたまに、父さんからの手紙を拾い読みして聞かせてくれることがあった。なかでも、年に一度はかならず読んでくれる一節があった。それは父さんの部隊が砲撃を受けている最中に書かれた手紙の一節で、それを書いてまもなく父さんは戦死したのだった。

こんな状態が休みなくつづくと、本当に人を憎むということがどういうものか、だんだんわかってくる。相手の国民全体が憎くなってきて、一人残らず懲らしめてやりたくなるんだ——一般市民も、女も、子供も、老人も、全部。誰だろうと関係ない、みんな同じなんだ、どいつもこいつもみんな悪党なんだ、そう思えてくる。しばらくのあいだは、憎しみと怒りが支えになってくれて、怖さで発狂したりもせずに済む。でも、そうやって自分が憎むのを許し、憎しみを信頼するようになると、もう駄目だ。ほかに何が起ころうと、人間もうおしまいだよ。ねえイーヴ、僕たちの生活を僕は愛している。君とマイケルのもとに帰りたいと思う、できるかぎり、去ったときの僕と変わらないままで。

もっとつづきを聞きたかったけれど、僕は頼まなかった。誰もが忘れようと努めていたからかもしれない。それとも、僕自身が怖かったからかもしれない。母さんの目に涙が浮かんでくると、僕は自分でも知らないうちに、ミセス・キュービアックと同じように、目をそらしかけていたのだ。

もともと家での言葉遣いにやかましいということもあったけれど、母さんがジャ＝ジャに癇癪を起こして台所から追い出したのには、もうひとつ訳があった。シャーリー・ポーペルの母親の一件があって以来、特にジャ＝ジャに関して、母さんは前にもまして神経質になっていたのだ。

シャーリーは少し前に母親を亡くしたばかりだった。母さんとシャーリーとは小学校のころから大の仲よしだった。葬式のあと、シャーリーはうちに寄って、ことの次第を話していった。

シャーリーの母親は、玄関先の舗道を掃除している最中に、縁石につまずいて腰の骨を折ったのだった。この母親というのは、いつもにこにこしている歯のないお婆さんで、どこから見ても百姓丸出しだとみんな言っていた。アメリカに来て四十年になるのに、英語もろくに喋れなかったし、入院してからも絶対に頭のバブーシュカを脱ごうとしなかった。

誰もが彼女をバブーシュカと呼んだ。または、略してバブーシュ。「お婆ちゃん」の意味だ。病院のシスターたちまでそう呼んだ。腰骨を折った上に、バブーシュは肺炎にもかかっていた。ある晩、お医者さんからシャーリーに電話があって、バブーシュの容態が急に悪くなったと知らせてきた。シャーリーは十三歳になる息子のルーディを連れて病院に駆けつけた。ルーディはバブーシュカが一番可愛がっている子だった。お気に入りの孫の顔を見れば、生きる気力も湧いてくるんじゃないか、そうシャーリーは期待したのだ。土曜の夜のことだった。ルーディはその晩、生まれてはじめてのダンス・パーティーでバンドの一員として演奏することになっていて、服もステージ用の衣裳を着ていた。ミュージシャンになるのがルーディの夢だった。新聞配達でためたお金で、マクスウェル・ストリートのスモーキー・ジョーで衣裳を揃えたのだ——ブルー・スエードのローファー、エレクトリック・ブルーのソックス、レモン・イエローの一つボタン、ロール・ラペルのスーツ（肩パッド入り、ズボンは先細）、パロット・グリーンのサテンのシャツ。そんなコスチュームに身を包んだ息子を、シャーリーはキュートだと思った。

二人が病院に着くと、バブーシュはいろんなチューブをつながれて、酸素吸入をしていた。

「ママ」とシャーリーは言った。「ルーディが来たんだよ」

バブーシュは顔を上げ、ルーディを一目見て、灰色の舌をちっと鳴らした。

「ルーディシュや」とバブーシュは言った。「お前、黒んぼみたいな格好してるじゃないかね」。そのとたん、バブーシュの白目がむき出しになった。彼女はばったりうしろに倒れ、はっと息を呑んで、死んだ。

「それがママの最後の言葉だったんだよ、エヴ」とシャーリーは泣きながら言った。「あたしたちみんな、一生その言葉を抱えて生きていくんだ。特にルーディはね。可哀想に、あんまりだよ——お前、黒んぼみたいな格好してるじゃないかね、なんて」

その後何週間ものあいだ、誰が電話してきても、母さんはかならずその話をした。

「この家では、そんな最後の言葉を聞かないように願いたいわね」と母さんは一度ならず言った。そうなってしまうことを、本気で懸念しているみたいな口ぶりだった。「そりゃまあ」と母さんは時おり言い足した。「たしかにシャーリーも、ルーディに好き放題やらせすぎました。入院しているおばあさまをお見舞いに行くのに、チンピラみたいな格好していくなんて、どこがキュートなのかあたしにはわかりませんよ」

ジャ＝ジャの最後の言葉が何であれ、彼はそれを秘密にしていた。でも、沈黙はすでに破られてしまっていた。たぶんジャ＝ジャにしてみれば、それは敗北のしるしだったのだろう。衰弱しかけていた彼は、いまや自分の目から見ても、衰弱し切った存在になってしまったのだ。かつて愛用していた椅子に出没する幽霊のように、ジャ＝ジャは台所に戻ってきた。僕が一人で書き方の練習をしていると、いずれその幽霊が現われるのだ。

何かが変わってしまったことに、ほかの誰も気づいていないみたいだった。でも、ジャ＝ジャがもう足をお湯に浸さなくなったことを見ても、何かが違っていることは明らかだった。たしかに、座ってバケツに足を浸ける真似だけは相変わらずつづけている。幽霊が引きずる鎖みたいに、バケツはジャ＝ジャの行くところどこへでもついてまわった。でもジャ＝ジャはもう、お湯を沸かす儀式を遂行しなくなっていた。お湯がぐつぐつ煮えたぎり、やがて薬罐がお助けとばかり悲鳴を上げる。お湯を注ぐと、リノリウムの床に水たまりができて、ジャ＝ジャのまわりには湯気の雲が立ちこめる。やがて、ジャ＝ジャが錠剤を落とす。と、ものすごい勢いでピンク色の泡が立ちのぼり、かすかに金属的な、温度計が割れたような匂いを放つ……。その儀式を、ジャ＝ジャはもはや行なわなくなってしまっていたのだ。

バケツが湯気を立てることもなくなったので、曇りっぱなしだった窓もきれいに澄んだ。ミセス・キュービアックのアパートは、界隈のほかの建物より一階分高かったので、僕らの住む四階の窓からは、よその建物の屋根が正面に見えた。雪が街路に着く前に、一足先にそれらの屋根に降り立つのも見ることができた。

僕は台所のテーブルの一方の隅に座って、翌日のスペリング・テストに出る単語を書き写していた。ジャ＝ジャは反対側に座って、ひっきりなしにぶつぶつ呟いていた——これまで一度も口にしなかった過去の雑多な出来事を、いまようやく語る自由を獲得したみたいに。戦争。革命。ストライキ。見知らぬ土地への旅。それがみんなごっちゃに混じりあった。そして音楽。特にショパン。「ショパン」とジャ＝ジャはしゃがれ声でささやき、天を指さす尼僧の敬虔さをもって天井を指さした。そして、目を閉じると、あたかも音の芳香を吸い込むかのように、鼻の穴を広げるのだった。

僕にはそれはみんな同じに聞こえた。マーシーが帰ってきて以来ずっと聞こえている、くぐもった、ぼんぼん、ごろごろという音。フォークやナイフが鳴るほどのクレッシェンドともなれば、音の強さは僕にも聞きとれる。でも、あれは何を弾いているのかなんて、考えてみたこともなかった。僕にとって大切なのは、毎晩彼女がピアノを弾くのが聞こえること、すぐ上の階で彼女が弾いているのが感じられること、それだけだった。この階の、僕のうちのなかで弾いている、ほとんどそう思えてくるような音。彼女はそれほど近くに感じられた。

「毎晩ショパンだ——ショパンしか頭にないじゃないか、え？」

僕は肩をすくめた。

「お前、知らんのか?」とジャ＝ジャはひそひそ声で言った。まるで僕が嘘をついていて、ジャ＝ジャがそれに話を合わせているみたいに。

「そんなこと、僕が知るわけないじゃない」

「じゃ何かね、『華麗なる大ワルツ』を聞いても、知るわけないじゃない、か? あれを作曲したときショパンが二十一歳、階上《うえ》の娘と同じくらいの齢だったことも、知るわけないじゃない、かね? あれはパリへ行く前に、ウィーンで作曲したんだよ。そういうこと、学校で教わらんのか? お前、何を勉強してるんだ?」

「スペリングだよ」

「『どあほう《ダムコフ》』のスペリングは書けるか?」

鍵盤から発する波は、暖かい台所を脈打って流れた。僕はやがてスペリングの勉強に没頭し、それから書き方に取り組んだ。僕は書き方の補習をやらされていた。毎晩やる書き方の練習は、理学療法でも受けているみたいだった。僕がいくら文字の正しい傾き具合に専念しても、僕の左手はいずれ、ルーズリーフ一面を黒鉛でぐしゃぐしゃに汚してしまうのだった。

いったん喋り出したジャ＝ジャは、もはや大人しく黙って聞いてはいなかった。何やかやと、僕の邪魔をした。

「おい左ぎっちょ、鼻で字を書くのはよせ。それよか、あの演奏を聞け」

「テーブルを揺らさないでよ、ジャ＝ジャ」

「この曲、知ってるか? 知らない? 『華麗なるワルツ』だ」

「こないだのやつもそう言わなかったっけ」

「こないだのって何だ？　変ホ調のか？　あっちは『華麗なる大ワルツ』だ。これは変イ調。変イのはもうひとつある。作品42、そっちは『大ワルツ』。わかったか？」

そんなふうにジャ＝ジャは、変イ調だの変ホ調だの、シャープがどうの作品がこうの、とぶつぶつ喋りつづけた。僕は大文字のMの幅を縮める練習に戻った。僕の宿題は、Mの字を五百回書くことだった。僕はまたしても書き方を落第しかけていた。例によって、僕の左手が、いわれのない非難を受けていた。Mの問題点は僕の手ではなかった。要は、字というものがすべてみな同じ幅でありうるということが、僕にはどうしても納得できなかったのだ。僕が書くと、Mは自動的にNの倍の広さになり、HはIの倍の幅になった。

「これはパデレフスキーのお気に入りだったワルツだよ。どうだい、天使みたいな演奏じゃないか」

宿題の出来ばえを絶望のまなざしで見つめながら、僕はうなずいた。M同士をくっつけて、長いにょろにょろにしてしまうという過ちを僕は犯してしまっていた。Mたちは僕の頭のなかでぶんぶん唸り、音楽を洗い流してしまった。それともそれは、僕自身が声に出してぶんぶん唸っていたのだろうか？「パデレフスキーって誰？」ジャ＝ジャの昔の友だちだろうか、ひょっとしてアラスカ時代の知りあいかな、そう思いながら僕は訊ねた。

「ジョージ・ワシントンって誰だか、お前知ってるか？　ジョー・ディマジオは？　ウォルト・ディズニーは？」

「もちろん知ってるよ」
「そうだろう。パデレフスキーもおんなじようなものさ。ただしこの男はショパンを弾いた。わかるか？　いいか左ぎっちょ、本当はな、お前も自分で思っとるほど馬鹿じゃないんだぞ」

居間に行って、母さんが通信教育に熱中している横で漫画を読んだりカウボーイ人形で遊んだりする代わりに、台所のテーブルで過ごす時間が僕はだんだん長くなっていった。その口実に、僕は宿題をだらだらと長びかせた。僕の書き方は上達のきざしを見せはじめ、やがて飛躍的に向上し、完璧の域に近づいた。文字の傾きも左寄りから右寄りに移行した。くぐもった音階にしか聞こえなかった音のなかにも、少しずつメロディーが聞き取れるようになった。

ジャ＝ジャは毎晩ショパンの話をしてくれた。前奏曲《プレリュード》、譚詩曲《バラッド》、マズルカ、説明してもらっただけで、聞いたことがなくてもどんな音楽だか想像することができた。特に、ジャ＝ジャの一番のお気に入り、闇に包まれた池のような黒光りを発する夜想曲《ノクターン》は。

「あの娘はワルツを一つひとつ弾き進んでおる」密談でもするみたいないつもの低いしわがれ声でジャ＝ジャは言った。「まだ若いのに、ショパンの秘密を知っているよ――ワルツというのはだな、人間の心について、賛美歌なんかよりずっと多くを語れるんだ」

僕が寝る時間になるころには、台所のテーブルの揺れも激しくなり、もうそれ以上書き方の練習をするのは不可能だった。テーブルの向こう側で、髪の毛も眉毛も耳の房ももじゃもじゃの白と化したジャ＝ジャが、体を左右に揺さぶり、ぎゅっと目を閉じた顔に恍惚の表情を浮かべて、指先でテーブルの上を叩いていた。ジャ＝ジャはテーブルの端から端まで目一杯使って演奏した。体が傾き、ねじれるなかで、指が鍵盤上を滑走する。左手がフォークやナイフを鳴らす和音を叩き出し、右手は薄汚いオイルクロスを横切り、走句《ラン》を駆け抜ける。空っぽのバケツを両足がぐいぐい押した。ジャ＝ジャをじっと見つめてから、目を閉じると、二台のピアノが鳴っているみたいに聞こえた。

ある夜、ジャ＝ジャとマーシーの演奏はことのほか荒々しかった。いまにもテーブルが壊れ、天井が落ちてくるものと、僕はかたずを呑んで待った。と、天井の電球がちかちか点滅しはじめ、やがてぷっつり消えた。どの部屋も真っ暗になった。

「そっちも消えたの？」と母さんが居間からどなった。「心配ないわ、きっとヒューズよ」

台所の窓が雪明かりに光った。僕は外を見てみた。18番通りの家並が、きれいに全部暗くなっていた。街灯も消えていた。雪の翼を飛び散らして進む除雪車が、黄色い光を回転させながら、電気の最後のまばたきのように18番通りの彼方に消えていった。通りかかる車もなかった。あたり一帯、人影もなく、まるで街全体から人の姿がなくなってしまったみたいに見えた。雪がその空虚をせっせと埋めていた。暗くなった建物のはざまで、大きな雪片が、ゆるぎなく、穏やかに舞い落ちながら、避難ばしごをくるんでいった。屋根の上で、吹雪が雲に向かって舞い上がった。

マーシーとジャ＝ジャはいっこうに演奏をやめなかった。

「マイケル、こっちへ来てストーブにあたりなさい。そこにいるんだったら、レンジの火をつけなさい」と母さんが声をかけた。

僕はレンジをつけた。炎の青い王冠が闇に浮かび上がり、ジャ＝ジャの影を壁にゆらゆらと映し出した。頭ががくんと垂れ、メロディーを叩き出す腕が一気に舞い上がった。壁や窓ガラスが、激しい風と音楽に揺れた。僕の想像のなかで、漆喰の埃が台所一面にふわふわと降り立ち、細かなひび割れの網が皿から皿に広がっていった。

「マイケル？」と母さんが呼んだ。

「鉛筆を削ってるんだ」。僕は鉛筆削りの前に立ち、力一杯ごりごり削った。それから椅子に戻って、書き方を再開した。僕の手元でテーブルが揺れた。でも文字は完璧な形をなしていった。僕は新しい言葉を綴った。それはいままで聞いたこともない言葉だったが、書いたとたんにその意味は明らかになった。まるでそれらが違う言語に属す言葉であって、その言語において言葉は音楽と同じく音によって理解されるかのように。ふたたび明かりがつくと、僕はもうそれらの意味を思い出せなかった。

僕はその言葉たちを投げ捨てた。

ジャ＝ジャが椅子の背に倒れ込んだ。顔は紅潮していた。額の汗を、ジャ＝ジャは紙ナプキンで拭った。

「どうだ、気に入ったか」とジャ＝ジャは言った。「何て曲だ、いまのは？」。ジャ＝ジャはいつも決まってそう訊いた。だんだんと、僕もメロディーが聞き分けられるようになっていた。

「ポロネーズ」と僕は見当をつけた。「変イ長調」

「やれやれ」とジャ＝ジャはがっかりして首を振った。「お前ときたら、ちょっと景気がいいと何でもポロネーズだ」

「『革命』練習曲！」

「ワルツだぞ、いまのは」

「どうしてあれがワルツなの？」

「遺作のワルツさ。わかるか、遺作《ポスチュマス》って？」

「え？」

「人が死んでから世に出た音楽ってことだ。あっちの世界から渡ってくるワルツだよ。ショパンはこの曲を、愛する若い女のために書いたんだ。その女を想う気持ちを、ショパンはずっと秘密にしていた。でも女のことは決して忘れなかったんだよ。そういう気持ちってものは、遅かれ早かれ、いずれ外にあふれ出てしまう。死者だって、生きてる人間と同じくらいセンチメンタルなんだ。ショパンが死んだとき、何があったか知ってるか？」

「知らない」

「ヨーロッパじゅうで鐘を鳴らしたんだよ。冬のことだった。それを聞いて、プロシア人たちは馬に飛び乗った。そのころは軍隊といっても騎兵隊だ。戦車はなし、馬だけだ。彼らは馬を走らせ、じきに、グランド・ピアノのかたわらのベッドにショパンが眠る家に着いた。両腕は胸の上で交叉して、手や顔についた石膏が乾きかけていた。プロシア人たちは馬に乗ったまま階段を駆け上がって、サーベルを振りかざしながら部屋のなかに押し入った。馬たちは蹄を鳴らして、前肢を高く振り上げた。プロシア人はショパンのピアノを打ち壊し、楽譜をずたずたに切り裂いた。そしてその楽譜をピアノのなかに詰め込んで、ランプの油をかけて、火をつけた。それからピアノを窓ぎわに転がしていった。窓はフランス窓だった——ほら、外に向かって開く、小さなバルコニーがあるやつだよ。ピアノは窓に入り切らなかった。連中はそれを無理やり押し込んで、まわりの壁まで一緒に壊してしまった。ピアノは三階から路上に落ちていった。地面を打つと、街じゅうを揺るがす音がした。ピアノは煙を上げて道端に転がっていた。プロシア人たちは馬をせき立ててそれを飛び越え、去っていった。あとになって、ショパンの友だちが何人かこっそり戻ってきて、死体から心臓を取り出し、小さな宝石箱に入れてワルシャワに送った。ワルシャワで埋葬しようと思ったんだよ」

ジャ＝ジャは話をやめて、耳を澄ました。マーシーが演奏を再開していた。ごく小さな音だった。何の曲だと訊かれていたら、前奏曲、と僕は答えただろう。題は「雨だれ」。

前奏曲は土曜の夜になると聞こえてきた。お風呂に耳まで浸かっていると、やがて聞こえてくるのだ。音楽が水道管を下って伝わってきたのだろう。水中でも、イヤホンで聞いているみたいにきれいに反響した。

マーシーの音楽が伝わってくる場所を、僕はほかにも何箇所か発見していた。ポロネーズが時おり、いまは食堂の壁紙の裏に隠れてしまっている、古いダストシュートを通って響いてきた。居間にいても、誰もラジオを聞いていたり新聞をぱらぱらめくっていたりしなければ、目張りをした壁の向こうから、マズルカのかすかな響きを聞き取ることができた。ストーブの煙突が、かつて暖炉だった穴に通じているあたりから聞こえてくるのだ。そして、18番通りに吹き寄せた雪山に登りに行くみたいにもこもこに着込んで僕が踊り場で遊んでいると、廊下を伝ってピアノの音が反響してきた。上の階に通じる階段を、僕はそろそろと少しずつ上っていった。そうするうちに、僕はやがてキューピアック家の正面まで上っていて、ドアに耳をくっつけるようにして聞き入っていた。もしドアが突然開いたら、さっと離れる用意はできていたし、何でこんなところにいるのか、うまい言い訳がとっさに思いつくといいけど、とも思っていた。と同時に、こうしているところを見つかってしまうことを、望んでいるような気持ちもあった。

廊下の階段を上っていったことや、音楽が聞こえる場所をいくつも発見したことを、僕はジャ＝ジャには内緒にしていた。台所のテーブル以外、ジャ＝ジャはどこにも興味がなさそうだった。まるで体が椅子に貼りつき、足がバケツに根を下ろしてしまったみたいだった。

「もう行くのか？　そんなに急いでどこへ行く？」毎晩の終わり、どんなに遅い時間になっていても、僕が鉛筆を置いて教科書をかばんにしまいはじめるとジャ＝ジャは決まってそう訊いた。

空っぽのバケツに足を入れて座っているジャ＝ジャを残して、僕は台所を出た。耳と同じに白い毛がふさふさ生えた指は、マーシーの演奏はもう終わっているのに、なおもテーブルの上でアルペジオをたどっていた。僕はジャ＝ジャに黙っていた。最近何度か、僕の部屋から、みんなが寝静まったあとで、まるで彼女の足下に座っているみたいにはっきりと、マーシーの演奏が聞こえてきたことを。

マーシーはだんだんピアノを弾かなくなっていった。特に、夕食後の、前には決まって弾いていた時間には。

ジャ＝ジャは相変わらず毎晩テーブルを揺さぶっていた。目は閉じられ、頭髪が踊り、指が打つ。でも、オイルクロスをごんごんと打つ指の音以外、聞こえるのはジャ＝ジャの息づかいだけだった。

規則正しい、苦しげな、夢でも見ているような、階段を上っているような呼吸。

はじめは僕も気づかなかったが、そのソロ演奏は、ジャ＝ジャの沈黙への回帰のはじまりだった。

「おい左ぎっちょ、あの娘は何を弾いてる?」とジャ＝ジャは相変わらず僕の知識を試すように、前にもましてしつこく訊ねた。

いまでは僕も、たいていは答えられるようになっていた。でも、しばらくして、僕は気がついた。ジャ＝ジャは僕を試しているのではない。僕に曲名を訊ねるのは、その音がジャ＝ジャ自身にとってだんだんぼやけてきてしまっているからなのだ。音楽の律動はまだ感じられるようだったが、メロディーはもう聞き分けられなくなっていた。きっと、僕に訊いて、マーシーが何を弾いているかがわかれば、もう少しはっきり聞こえるようになるかもしれないと思っていたのだろう。

やがてジャ＝ジャは、マーシーが何も弾いていないときにまで、いまあの娘は何を弾いてるのか、と訊ねるようになった。

僕は答えをでっち上げた。「ポロネーズ……変イ長調だね」

「ポロネーズ! お前はいつもそればかりだぞ。もっとよく聞け。ほんとにワルツじゃないのか?」

「そう言えばそうだね、ジャ＝ジャ。『大ワルツ』だよ」

「『大ワルツ』……どっちのやつだ?」

「変イ、作品42。パデレフスキーのお気に入りだよ、覚えてる? ショパンが二十一歳のときに、ウィーンで書いたんだ」

「ウィーン？」とジャ＝ジャは言って、それから、げんこつで思い切りテーブルを叩いた。「何番だの、何調だの、いい加減にしろ！ 変イ、嬰ハ、作品０、作品１０００！ そんなもの、どうでもいいわい！ お前の話ときたら、ショパンだかビンゴゲームだかわかりゃせんわい！」

ジャ＝ジャが聞こえないのは思い出せないからなのか、それとも聞こえないから思い出せないのか。どちらだか、僕にはどうにも見当がつかなかった。聴覚自体は、まだ充分鋭敏なようだった。

「鉛筆でごりごり引っかくのは止さんか、左ぎっちょ。そいつがなけりゃ、わしだって、いま何を弾いてるかなんて訊かずに済むのに」とジャ＝ジャは愚痴っぽく言った。

「あのさジャ＝ジャ、薬罐を火から下ろしたら、もっとよく聞こえると思うけど」

ジャ＝ジャはまた以前のように、お湯を沸かす儀式に戻りかけていた。薬罐がサイレンのような金切り声を上げた。窓ガラスに霧がかかった。屋根も外気も、湯気の薄膜の彼方に消えた。蒸気の輪が天井の電球を囲んだ。発泡性のピンクの錠剤が放つ、かすかに金属的な匂いが、吐く息一つひとつの先っぽにぶら下がっていた。

このころになると、マーシーはもうほとんどピアノを弾かなくなっていた。たまに少し弾くことがあっても、妙にこもった音色で、音まで霧のフィルターを通したみたいに、ずっと遠くから聞こえてきた。時どき、湯気に覆われた窓を見つめながら、18番通り全体がこんなふうになった情景を僕は想像してみた。蒸気の輪が街灯やヘッドライトを包み、自動車の排気管やマンホールの蓋からもうもうと雲が立ちのぼる。息は宙にぶら下がり、雪が白い煙のように渦巻く……

毎晩、薬罐の口から熱湯がこぼれ、破裂したバルブから飛び出すみたいにしゅうっと鳴った。湯はゴロゴロと音を立ててバケツを満たし、ついにはいびつに歪んだリノリウムの床にあふれ出た。ジャ＝ジャは骨ばったふくらはぎを半分お湯に入れ、ズボンを膝までまくり上げて座っていた。最近ジャ＝ジャは、またしても二着の上着を重ね着するようになっていた。それはジャ＝ジャがもうすぐ旅に出る気になっている証拠だった。これをやり出すと、決まってそのうち、さよならも言わずにいなくなってしまうのだ。両足を浸けているあいだ、左手の指は依然、テーブルの上を無意識に叩いていた。湯気がくねくねと、凍傷の跡が残る両足の動脈を上り、膝のあたりで一休みしてから、くすぶる煙のように二着のチョッキのボタンをさかのぼって、口ひげと白髪をなぞって進み、やがてジャ＝ジャをすっぽり包み込んでしまった。雲にくるまれ、どんより濁った目で座ったまま、ジャ＝ジャはじわじわと消えていった。

僕は早寝するようになった。宿題も終えずに、母さんにお休みのキスをして、自分の部屋に行った。僕の部屋は狭くて、ベッドと洋服ダンスでほとんどいっぱいだった。といっても、ジャ＝ジャがもぐり込めないほど狭かったわけではない。もしかりに、マーシーはみんなが寝静まったあと毎晩のようにピアノを弾いているんだよ、と僕から知らされたら、たぶんジャ＝ジャも台所を湯気で満たす儀式に戻りはしなかったろう。僕は後ろめたい気持ちだった。でももう手遅れだった。湯気が入り込んで、部屋の窓を霧で覆ってしまわないうちに、僕はそそくさとドアを閉めた。

僕の部屋の窓は一重窓で、ベッドの足側から手が届くところにあった。窓のすぐ外には三面の通気口が突き出ていて、その先に隣の建物の屋根があった。何年も前、隣には僕と同い齢のフレディという子が住んでいた。僕らはいまもそこをフレディの屋根と呼んでいた。

マーシーの部屋の窓は、僕の部屋の窓の真上にあった。僕の泣き声が上に伝わってきたとマーシーは言っていたけれど、それと同じように、音楽も下にはっきり伝わってきた。目を閉じると、彼女の巨大なピアノのそばで、東洋風の絨毯に座っている僕自身の姿が浮かんだ。実際、通気口によって、音楽はむしろ増幅されていた。以前、キューピアック夫妻の喧嘩もこんなふうに増幅されて聞こえてきたものだった。特に、家を出たはずのミスター・キューピアックが飲んだくれてやってきて、よりを戻そうとした晩などは、叫び声も格別すさまじかった。二人はおおむねボヘミア語で言い争っていたが、夫が暴力をふるい出すと、ミセス・キューピアックは英語で「助けて、警察、誰か、殺される！」とわめいた。しばらくすると、たいてい警察がやって来て、ミスター・キューピアックを引っぱっていった。僕の母さんから通報を受けて来たこともあったと思う。ある晩、ミスター・キューピアックは警官たちを振り払おうと抵抗して、逆に袋叩きにされてしまった。「あんたたち、あたしの目の前でこの人を殺す気かね！」とミセス・キューピアックは叫んだ。ミスター・キューピアックはそのすきに逃げ出して、警官に追われながら階段を駆け降り、ドアを片っ端から叩いて、開けてくれ、と住人たちに泣きついた。うちのドアも叩いた。アパートじゅう、なかに入れてあげた人は誰もいなかった。それが二人の最後の夫婦喧嘩だった。

部屋はいつも寒かった。僕は服を着たままガチョウの羽根蒲団の下にもぐり込み、そのなかでパジャマに着替えた。ドアを少しでも開けておけばもっと暖かだったろうが、湯気が入ってくるのできっちり閉めておいた。寝室の窓に湯気が立っているのを見ると、僕はどうしても、肺炎にかかった冬のことを思い出してしまうのだった。物心ついて、ほとんど最初の記憶がその冬のことだった。加湿器がごぼごぼと鳴り、ベンゾインの匂いがたちこめるなかで、僕は枕に頭をうずめ、凝縮した湯気が霜になって窓ガラスを包むのを眺めている。そのうちに、昼の光もだんだんぼやけてくる…… どのくらい雪が積もったかを見ようと、ぜんまい仕掛けの鼠のツマミで霜をこそげ落としているところを母さんに見つかったことがあった。僕が暖かい蒲団から抜け出したことを母さんはかんかんに怒って、お前、よくなりたいの、それとも悪くなりたいの、死んじゃいたいの、と叱られた。あとでシュトゥレク先生に、僕、死んじゃうの、と訊いてみたら、先生は聴診器を僕の鼻にあて、耳を澄まして、「まだ死なない」と言ってにっこり笑った。シュトゥレク先生は僕の呼吸の具合を見に何度も往診に来てくれた。聴診器はひんやりと冷たかった。先生のかばんに入っている道具はみんなそうだった。でも僕は先生が好きだった。特に、加湿器を外してくれたときは嬉しかった。「これはもう要らない」と先生は、こっそり秘密を教えてくれるみたいに言った。加湿器がひっきりなしに息を吐く音がなくなると、夜はひどく静かに感じられた。車のチェーンがちりんと鳴る音や、シャベルが道をひっかく音が、18番通りから伝わってきた。マーシーの音階練習をはじめて聞いたのも、このころだったかもしれない。僕はもうこの時期から、昼間はうとうと眠り、夜ベッドで起きている癖がついていた。掛け蒲団の下を這っていって、窓の前に出ては、貼りついた霜をごりごりこそげ落とすようになった。言いつけを破ってまた病気になったらどうしよう、そう心配しながら毎晩ごりごりやっていると、とうとう、フレディの屋根に積もった雪が見えるようになった。僕が病気をしていたあいだに、何かが変わっていた。隣の屋根にある背の高い煙突に、風よけのフードがついたのだ。そのせいで、時どき、煙がうちの方にもろに吹きつけてくるようになった。暗闇のなかで、その煙突は誰かが旧式のヘルメットをかぶって屋根に立っているみたいに見えた。僕はそれがドイツ軍の兵士だと想像してみた。フレディのうちの大家さんはドイツ人だと聞かされていたのだ。兵士は気をつけの姿勢で立っていたが、その頭は前後にゆっくり揺れていた。風が吹きつけるたびに、頭がふくろうみたいにホーホーと鳴った。横なぐりの雪が屋根に降った。兵士は吹き寄せられた雪に囲まれて立ち、葉巻を喫っていた。葉巻の先から火花が舞い上がった。兵士がぐるりと回れ右して、顔のない顔で僕の方を見つめると、僕はあわてて首を引っ込め、掛け蒲団のトンネルを這って枕に戻り、寝たふりをした。眠っている人間のほうが、起きている人間より大目に見てもらえるんじゃないかと思ったのだ。兵士が屋根をこっちへ進んできて、こそげ落とした穴からなかをのぞき込んだらどうしよう、とびくびくしながら、僕はじっと横になっていた。母さんが泣いているのが聞こえたのは、そんな夜だった。部屋から部屋を歩きながら、母さんは泣いていた。僕には聞いたこともない泣き方だった。僕は大声を上げたにちがいない。母さんが部屋に来て、蒲団を直してくれたからだ。「大丈夫、何でもないのよ」と母さんは囁いた。「いいからお休み」。母さんはベッドの足側の、窓の外が見えるところに腰かけて、静かに泣いた。じきに、母さんの肩がふるえ出した。僕は寝たふりをしていた。父さんが戦死してから、母さんはそんなふうに幾晩も泣いた。マーシーが聞いたのは、僕ではなく母さんの泣き声だったのだ。

母さんが泣いていたことを僕が思い出したのも、マーシーが夜ふけにピアノを弾くようになったのがきっかけだった。蒸気が入ってこないよう閉めきった部屋にこもっていると、まるで彼女が僕一人のために弾いてくれているような気がした。ふっと目を覚ましたとたん、僕はもうすでに音楽に聞き入っていた。そして僕は、眠っているあいだもずっと音楽は鳴っていて、自分がそれに合わせて夢をかたちづくっていたことを悟るのだった。冬の最後の何週間かのあいだ、マーシーはもっぱら夜想曲を弾いた。時にはそれが、家々の屋根まで届くんじゃないかと思えることもあったが、たいていはひどくか細い音で、通気口のおかげでどうにか聞こえる程度だった。蒲団にくるまり、窓辺で体を丸めて、フレディの屋根に広がる白い砂丘を眺めながら、僕はその音に聞き入った。兵士はもうずっと前にいなくなっていた。ヘルメットも錆びてなくなってしまっていた。フードがなくなって煙は自由に吹き上げ、黒い灰がちかちかと火花を発しながら、燃える雪のように舞い上がった。煤と、音楽と、棟飾りから吹き下ろす突風とが、窓ガラスに打ちつけた。つららから水がしたたり、街路が茶色い泥の川に変わっても、通気口の吹雪は止まなかった。

季節の変わる兆しが見え出したころ、マーシーはいなくなった。残された書き置きには、「ママ、心配しないで」と書いてあった。

「それだけね」書き置きを開いて母さんに見せながら、ミセス・キューービアックは言った。「『元気《ラ》でね《ヴ》』もなし、サインもなしね。あたしがさんざん『何とかしなさい』て言っても、あの子ったらピアノを弾くばっかりだったね。それで、もう手遅れ、どっかのインチキ医者にでも行くしかないってなってから、やっと何とかしたのね。ねえエヴ、どうしたらいいかね?」

母さんに手伝ってもらって、ミセス・キューービアックはあちこちの病院に電話をかけた。身元不明死体の保管所にも毎日問い合わせた。一週間が過ぎ、ミセス・キューービアックは警察に電話した。警察にもマーシーが見つけられないとわかると——警察はジャ＝ジャだって見つけられなかったのだ——今度はニューヨークの人たちに電話してみた。マーシーの先生、以前のルームメート、大家さん。ミセス・キュービアックはもっぱらうちの電話を使った。「家賃から引いてくださいね」と彼女は言った。とうとう彼女は、自分で娘を探しにニューヨークへ行った。

ニューヨークから帰ってきたミセス・キュービアックは、まるで別人に見えた。もう疲れはてて、取り乱す元気もないみたいだった。髪の毛の灰色も、すっかり色合いが変わってしまって、かつてそれが金髪だったとはとても思えない色になっていた。九日間の祈り《ノヴィーナ》を捧げに階段を下りていくときも、肩が丸まっていた。お茶の時間にうちに来て長々とお喋りをしていくこともなくなった。一日の大半を教会で過ごすようになり、旧世界からやって来たほかの女の人たちと見分けがつかなくなっていった。毎朝、バブーシュカをかぶり喪服を着て死者のためのミサに現われ、教会の片隅に置かれたチェンストホヴァ黒処女の祭壇の前で、陰気な祈禱の文句をえんえんと唱えている、未亡人友愛会といった感じの女たち。そのなかに、ミセス・キュービアックもすっかり溶け込んでしまったのだ。

やっとマーシーから手紙が来て、いままでずっとサウス・サイドのシカゴ大学近辺の黒人街に住んでいたこと、息子が生まれて、テイタム・キュービアックと名付けたこと——「テイタム」は有名なジャズ・ピアニストにあやかってだ——を知らせてきたころには、もうすべてはどうでもよくなってしまっていた。ミセス・キュービアックは一度だけ娘に会いに出かけたが、それっきりもう行かなかった。ある種の話題が持ち上がると、人々は彼女から目をそらすようになった——娘、孫、音楽。彼女も自分自身から目をそらすことを覚えてしまっていた。マーシーに会いに行ったあとでピアノも売ろうとしたが、やって来た運送業者はどうやってそれを降ろしたらいいかわからなかった。そもそもどうやってここまで上げたのかもわからなかった。

音楽が消え去るには時間がかかった。通気口のなか、壁や天井の蔭、浴槽のお湯の下、僕はいたるところにその断片を聞きつづけた。パイプや、壁紙で覆ったダストシュートや、煉瓦で固めた煙道や、薄暗い廊下を通って、残響が伝わってきた。ミセス・キュービアックのアパートにはそこらじゅう秘密の抜け道があるように思えた。そして、とうとう音楽が止んでからも、音の経路はそのまま残って、沈黙を運んできた。ごく当たり前の、何もない空っぽの沈黙ではなく、夢想や記憶も届かないところにある純粋な沈黙。それが訪れる前に聞こえていた音楽と同じくらい強烈な、そして、音楽と同じように、それを聞いた人間を変えてしまう力をもつ沈黙。それは古い建物の混みあった喧噪を静まり返らせた。それはずっと前からそこにあったのだ。軋みや、すきま風や、ばたんと閉まるドアの蔭に。ばりばりと雑音の混じるラジオの蔭に、トイレで水を流す音や足音やぱちぱちとはねる油の蔭に。掃除機や薬罐や赤ん坊の泣き声の蔭に、人々が自分個人にかかわるすべてのものとともに自分自身をとじ込めているアパートから漂い出る切れぎれの会話や言い争いや笑い声の蔭に、それはあったのだ。もう彼女を恋しがらなくなってからも、残された沈黙が僕にはまだ聞こえていた。

ライツ

夏のあいだ、夜を待ちながら、僕らは街角で日のなごりを背にポーズをとり、近所を流して回る車を眺めた。時たま、ヘッドライトをつけずに走っている車が通ると、僕らはみんなでどなった。「ライツ!」

「ライツ!」光の束がともるまで、僕らはそうどなった。たいていの場合、ライトはすぐに点いた。ドライバーがお礼にクラクションを鳴らすか、ハンドルを握ったまま気まずそうに身をすくめるか、あるいはすごい勢いで走り去るかして、赤いテールライトがぴかっと点灯するのだ。

でも時には、なぜかはわからないが——酔っているのか、ハイになっているのか、頑固なのか、それともどこかへ行くことに夢中になっているのか——闇のなかをそのまま走りつづけるドライバーもいた。そんな時は、叫び声が道沿いに伝わっていった。玄関口から、店先から、軒先の階段から、街角じゅうから声たちが蛍のように点滅するのだ——「ライツ! おーい、あんた! ヘイ、ライツ!」

Lights

右翼手の死

あまり何度もボールが戻ってこないので、我々は様子を見にいった。それは長い道のりだった。彼はいつも深く守ったのだ。ようやく彼の姿が見えた。遠くからだとそれは、我々が時おり二塁ベースの代わりに放り出しておくタオルに似ていた。

どのくらいのあいだ彼が、うつぶせにそこに横たわっていたのか、何とも判断がつきかねた。かりに内野を守っていたなら、彼の存在も、というかその存在の欠如も、ただちに感知されたことだろう。内野というのはコミュニケーションを必要とする。たえず励ましあう、チームプレーのお喋りが必要なのだ。だが彼は超然とした、一目で外野手（外部手、と言いたいくらいだ）とわかるタイプだった。内野は口の悪い皮肉屋のためにある。気のきいた警句を吐いては、ガムをぱちんと破裂させる手合いのためにある。外野は一匹狼、傍観者、思索型のためにある。大声を張り上げるよりは、クローバーを眺めながらブヨでもつぶしていたい連中のためにあるのだ。人間はだいたいみな、内野手か外野手のどちらかに分類できるものである。もっとも、かならずしも自分で選ぶ権利があるとは限らない。彼にしても、自ら右翼を選んだというより、むしろ与えられたものを受け容れただけの話だろう。

彼の死因をめぐって、いくつかの説が生まれた。当初からいちばん支持されたのは、射殺説であった。おそらくは走っている車から撃たれたのだろう、と。団地の真ん中の、ペンキでベースを描いたコンクリートのダイヤモンドで40センチ・ソフトボールに興じる〈ジョーカーズ〉の連中にやられたのかもしれないし、それともスポーツなんかとはまるっきり縁のない〈ラテン・ローズ〉の仕業かもしれない。あるいは、望遠の照準器をもったどこかの変質者が寝室の窓から撃った可能性もあり、気が触れた殺し屋が給水塔から犯行に及んだとも考えられるし、消音器つきの銃を抱えたテロリストが高架の高速道路から狙撃したという線もありうる。あるいは事故だったのかもしれない——強盗の発砲なり、銃撃戦なり、何マイルも離れた場所で企てられた暗殺なりの流れ弾が、たまたま当たってしまったのかもしれないのである。

引き金を引いたのが誰であれ、彼の死を一個の弾丸のせいだと考えるほうが、たとえば心臓発作といった自然死を想定するよりも妥当であるように思えた。若き死は決して自然であることはない。それはつねに暴力的な死だ。むろん、若者は絶対に心臓発作では死なない、ということではない。だが彼はどう見てもそういうタイプではなかった。たしかにおとなしい男ではあった。が、それは、プレーできる年齢に達して以来年じゅう両親から警告されてきた心雑音につねに耳を澄ませている人間のおとなしさ、というのとは違っていた。白血病もありえない。彼は白血病で死ぬほど才能あるプレーヤーではなかった。もし白血病に冒されるような人間だったら、ライトではなく、センターを守っていたはずなのだ。

弾痕こそ見当らなかったが、銃殺説のほうが説得力があった。一部の人間が主張したように、皮膚を通過したのちに穴がふさがってしまうほどの速度で強力な弾丸が飛んできた、ということだってありうるのではないだろうか？　でもそれでみんなが納得したわけではなかった。ほかにもさまざまな説が提示された。長い年月のなかで、噂は伝説となっていった——蜂に刺されてアレルギー反応を起こしたのだ、突発的な一瞬の雷雨から発したたった一筋の稲妻に撃たれたのだ、嚙んでいた草の葉に付着していた強力な殺虫剤を飲み込んだのだ、音波にやられたのだ、放射線に、大気汚染に……我々のなかには、もっと単純に、彼は低いライナーを地上すれすれでダイビングキャッチしようとして首の骨を折ったのだ、と考えるのを好む者もいる。

事実、彼の体をひっくり返してみると、ミットの革紐の部分には、ボールが収まっていた。体の下敷きになっていたミットを、うっすらと、ほとんど蛍光性のようなグレーの膜が覆っていた。黒のバスケットシューズにも同じグレーの膜がかかっていて、まるで石灰のなかを駆けぬけたみたいだったし、野球帽のひさしも同じだった——それは青いフェルトの帽子で、赤でCの字が入っていたが、それがシカゴ・カブズのマークであることを彼は決して認めようとしなかった。一匹狼ではあったかもしれないが、負け犬と同一視されることを彼は望まなかったのだ。彼にはそういうユーモアのセンスはなかったし、何シーズンも執拗に負け犬チームを応援することから生まれる依怙地なプライドも欠けていた。愛情も欠けていた。彼はごく平凡な、二割五分の男だったのだ。次に何をしたらよいかもわからぬまま、我々は彼を見下ろして立ちつくしていた。そのころにはほかの外野手たちもやって来ていた。誰かが、たぶんショートだと思うのだが、チームの祈りを唱えようと言い出した。でもチームの祈りなんて、どんな文句を言ったらいいのか、誰もわからなかった。そこで我々は、ただ単に頭を垂れて、暗い影が外野の芝をじわじわと覆ってゆくなか、祈っているふりをした。しばらくすると、ダイヤモンド全体が影に呑み込まれ、照明灯が点いた。

照明灯の青っぽい光線を浴びた彼は、かつて我々が知っていた人物には見えなかった。何もかもが少しずつ違っているように思えた。我々はあわただしく浅い墓を掘り、彼に土をかぶせ、誰であれ次の右翼手がつまずいて転ばぬようできるだけ平らに踏みならした。少年期の一見ごくささいな転倒が、まだはじまってもいない偉大なキャリアを台なしにしてしまうことだってありうるのだ。あるいは何年も経ってから障害が現われることもある——ミッキー・マントルのキャリアが膝の故障で妨げられた場合のように。自分の隣の子供がロベルト・クレメンテの再来でないと、誰が断言できよう？　名選手となりえたかもしれぬ人間が、いったい何人、地元の町に埋もれ、無名のまま消えていったか、誰が知りえよう？　そんなわけで我々は、これ以上の悲劇の元を作るよりはと、キャッチャーの言を借りれば「墓を埋葬した」のであった。おそらく、誰であれ次の右翼手も、やはり不器用なプレーヤーだろう。つまずきそうな土の盛り上がりがあれば、かならずやそれに行きあたり、今度こそ間違いなく首の骨を折ってしまうだろう。そしてじきに、あそこのライトは呪われている、と評判が立つだろう。幽霊フライを取ろうと声をかけあう亡霊たちの住む、草野球界のバミューダ・トライアングル。すでに自殺の一歩手前まで来ている、よほどの絶望に駆られた世捨て人でもない限り、誰もそんなところではプレーしたがらなくなってしまうだろう。

しかし、我々がいくら頑張っても、その墓を完全に隠しきることはできなかった。生まれ立ての墓というのは頑固なものだ。その輪郭はどうしても消えなかった——足でこすった跡の残る、土がむき出しになった地点。かりにバットが地面に突き刺さっておらず、その上にミットも青い帽子もかぶっていなかったら、それは風変わりなピッチャーズマウンドとも見間違いかねなかっただろう。もしかしたら我々は、それを完璧に消し去ることを望んでいなかったのかもしれない。何といっても、我々の一部がそこに眠っていたのだから。もしかしたら我々は、誰であれ次の右翼手が、自分の前にはここで誰がプレーしていたんだろう、ふとそんな思いをめぐらせてほしいと望んでいたのかもしれない。誰であれ次の右翼手に、いまや自分だけが過去と未来を結ぶ唯一意味ある絆なのだということを、わかって欲しかったのかもしれない。記念碑も墓碑銘も花も、ここでは無用なのだ。

そして我々は帰路についた。だがもう遅くなってしまっていた。もうすぐ夕食の時間だった。もうじき夏休みも終わりだった。大学とか、仕事とか、身を固めて家族をもつとか、ほかのことをする時間が迫っていた。三十五歳を過ぎると、人生の下り坂がどうこうという話がはじまる。四十代に入り、白髪も目につきはじめたフィル・ニークロが相変わらずのナックルでばったばった三振を取っているとか、ピート・ローズも四十二にしてなおヘッドスライディングで頑張っているとかいった話も出てくる。年齢のハンデなんか物ともしないじゃないか、と。けれどおそらく、事実下り坂は訪れるのだ。四十二歳、メッツの一員となったウィリー・メイズが、七三年のワールドシリーズでイージーフライを落球した姿を思い出してみるがよい。いっさいの優美さをはぎ取られ、それとともに自信も崩れ落ち、途方に暮れた一人の男が、自分のなかに残る子供っぽさを申し訳なく思っているその姿を。すべてがそんなふうにあっけなく終わってしまうのを認めるのは悲しい。でも誰もが知っているように、そういう連中は幸運な部類に属するのだ。たいていは十七になる前に、波に洗い流されてしまうのだから。

Death of the Right Fielder

壜のふた

僕は毎日ビール壜のふたを集めてまわった。朝早く、老婆や浮浪者がやっているみたいに買物袋を下げて裏道を歩き、ハエの雲をかき分けてゴミの山をあさるのだ。裏道にはいろんな物を集める人たちがひしめいていた。鉄クズを集める人、換金できる空き壜を集める人、他人の車のホイールキャップを集める人。僕は酒場の裏から裏を回るルートを歩いていった。壜のふたが、破れかけた、べっとり湿ったゴミ袋からこぼれ落ちている。チリンと鳴る、きらきらの山。ビールの泡がうっすら残っていて、昨晩の吸殻の灰がへばりついていた。

僕は集めたふたをホースで洗い、コーヒーの缶にしまった。週末になると、缶から出して並べ、銘柄の対抗戦をやった。基本的にそれは三者の争いだった。パブスト——青いリボンのやつだ——、バドワイザー、ミラー。ブラッツとシュリッツもいい線を行っていた。

これにはじきに飽きてしまった。それでも集めるのをやめなかったのは、珍しい、エキゾチックなふたがあったからだ。エーデルワイス。ユーセイ・ピルズナー。カーリングのブラック・ラベル（ふたも合わせて黒い)。モナーク、これは近所のビール工場で作っている、昔のペソ銀貨みたいな金色のふた。そして、僕がいちばん気に入っている、マイスター・ブラウ・ボック。ふたの一つひとつに、雄羊の頭が浮彫りになっているのだ。

七月ごろには、数え切れないくらいのふたが貯まっていた。地下室に並べたコーヒーの缶が、ぷんぷん匂いを放つようになった。金属的で、モルトが発酵しているみたいな匂いだ。母さんに見つかりはしないか、それが心配の種だった。母さんが見たら、きっと小児麻痺のビールスでも培養していると思い込むだろう。でも、集めれば集めるほど、僕はますます熱心にそれらを貯め込んだ。僕はふたたちのことを、ほとんど美しいと思うようになっていった。裏にビニールが貼ってあったり、金属の箔が貼ってあったり、そういうことが僕を魅了した。コルクが貼ってあるのは外国のふただけであることも発見した。ひどく歪んでしまったふたは、栓抜きで叩いてへこみを直した。こいつらを自転車のスポークに飾ろうぜ、と友人たちに言われても、僕は拒否した。

ある日の午後、弟が地下室にいるところを僕は見つけた。弟は僕のふたをポケットに詰め込んでいた。

「何のつもりだよ?」と僕は問いつめた。

はじめのうち、弟は口を割らなかった。僕は弟のTシャツをつかんで、首まで引っぱり上げ、喉もとでゆっくりねじって絞めつけた。

弟は僕を裏庭に連れていき、灯油小屋の裏の、陽の当たらない一角まで来て、目の前を指さした。あたり一面に、僕のふたが、なかば土に埋もれて転がっていた。ぎざぎざのふちが、洗濯ばさみの十字架や、色ガラスの破片に混じって、地面から飛び出していた。
「墓石に使ってたんだよ」と弟は言った。「僕の虫たちの墓場で」

Bottle Caps

壜のふた

荒廃地域

朝鮮戦争とベトナム戦争のあいだの、ロックンロールが完成に近づいていたころに、僕らの町が「公認荒廃地域」に指定された。

当時の市長はリチャード・J・デイリーだった。彼はまるで、これまでもずっと市長だったし、これからも永遠に市長でいつづけそうに思えた。その市長が、黒いリムジンに乗って23番小路《プレイス》を通り過ぎるのを見た、とジギー・ジリンスキーは主張した。ジギーの話では、リムジンは葬式の車がつける紫の小旗をなびかせていたが、ただしその小旗には〈ホワイト・ソックス〉と書いてあった。ウィンドウに板を打ちつけた食料品店の角で飲んだくれている連中を防弾ガラスごしに見やりながら、後部席に座った市長は「何てこった!」と言わんばかりに悲しげに首を横に振った、ということだった。

もちろん、ジギーが本当に市長を見たと信じる奴は一人もいなかった。そもそもジギーの話は、「バット鬼」をして遊んでいるときにペパー・ロサードがうっかり彼の頭にバットをぶつける前から、いつだって眉ツバものだったのだ。三年生のときに、ジギーがミサの最中に出し抜けに立ち上がって、こう叫んだのをみんなはまだ覚えていた――「ねえ見た？ うなずいたよ！ 僕、マリア様に、僕の猫は戻って来るでしょうかって訊いたんだ、そしたらこっくりうなずいたんだよ！」

小中学校を通してずっと、聖人たちの彫像がジギーに目配せを送りつづけた。彼は天使や死者たちとたえず連絡を取っていた。その上ジギーは夢遊病者だった。一度など真夜中に、眠ったままワシュテノー・グラウンドでダイヤモンドのベースからベースを走りまわっているところを警官に見つかったこともあった。

目をさますとジギーは、自分が見た夢をまるで預言か何かのように語った。彼はある恐ろしい悪夢を何度もくり返し見た。それは、ホワイト・ソックスがペナントを獲得した日の夜に、シカゴに原爆が落ちるという夢だった。コミスキー・パークから立ちのぼるキノコ雲が、ジギーの眼前にありありと浮かんだ。でもジギーは楽しい夢もたくさん見た。僕が一番気に入っていたのは、ジギーと僕とリトル・リチャードがバンドを組んで、セント＝サビーナのローラースケート・リンクの真ん中で演奏している夢だった。

大通りでペパーにバットで頭を直撃されてからというもの――それはシートノック用の細長いバットで、ペパーはそいつを、奥行20メートルはあるチューリップの花壇の蔭に隠れようとしていたジギーめがけて、トマホークみたいにひゅるると投げつけたのだ――ジグはぱったり聖人の幻影を見なくなった。その代わりに、有名人をあちこちで見かけるようになった。映画スターとかそういうのじゃなくて、ニュースによく出てくるような偉い連中だ。通りがかりのバスにボ・ディドリーが乗っているのを見かける、なんてこともたまにはあったけど、たいていは、ホンブルグ帽をかぶったアイゼンハワーそっくりの男とかだった。白髪頭の太った小男というのもよく出てきて、それがニキータ・フルシチョフのこともあればデイリー市長のこともあった。僕らはべつに驚かなかった。ジグは新聞を読むタイプの子供だったのだ。漫画を買いにみんなでポトックスへ行くと、『デイリー・ニューズ』を抱えて出てくるジグによく出くわしたものだ。ジグはいつも、ほかの誰も心配しないようなことを心配していた。人口急増問題とか、インドで餓死している人たちとか、世界が破滅する可能性とか。みんなで22番通《ストリート》りを歩いていて、細い横道のかたわらを通り過ぎると、ジギーは「見た?」と言うのだった。

「何を?」

「デイリー市長がゴミ箱をあさってるのをさ」

僕らはみんなでふり返ってみたが、そこには空き缶の山をかき回している浮浪者の女がいるだけだった。

それでも、ある意味で僕もジギーの視点が理解できた。事実デイリー市長はいたるところに偏在していたのだ。シカゴ市は当時、都市再開発のために建物を壊し、新しい高速道路を作るために街路を掘り返していた。街じゅうどこを見ても、瓦礫の山の前にこんな看板が立っていた——

御迷惑をおかけしております
よりよいシカゴを作るため
今しばらく御辛抱下さい

市長　リチャード・J・デイリー

この看板がそこらじゅうにあったわけだが、それだけではなかった。角を三つばかり行った26番通りの裁判所からは、太った、偉そうな感じの中年男が次々に出てきたが、そいつらはまるでデイリー市長の替え玉の一隊みたいに見えた。時おり、特に選挙の日など、連中は葉巻をクチャクチャ嚙みながら僕らの町にくり出して来て、投票所になっている、星条旗を掲げた床屋の前にデンと構えるのだった。

だが荒廃へ戻ろう。

これは僕らがさんざん使った言葉だ。ダウンタウンに行ったあとや、オーク・ストリート・ビーチで一日を過ごしたあとに、僕らはよくこの言葉を口にした。オーク・ストリート・ビーチは、違いのわかる人間が選ぶビーチだと僕らは思っていた。タオルをカバンに入れ、ジーンズの下に海水パンツをはいて、僕らは北行きの地下鉄に乗った。

「自由の地、北へ」と僕らの一人がかならず言ったものだ。

それは何の心配事もなく、ひたすら何かに恋い焦がれる日々だった。砂浜に寝そべってサングラスごしに世界を眺める以外、何一つすることもない日々だった。オーク・ストリート・ビーチから見たシカゴの街は、僕らが夢見た街が現実になったみたいに見えた。絵の具のように青い水平線に浮かぶ白い帆のヨットや、湖岸高速道《アウター・ドライブ》の向こうで湖を映し出す高層ビルのガラスの壁を、僕らはのんびりと、こんなもの毎日見てるさという顔で眺めた。光を吸いとる青い影はやがて琥珀色に深まり、燃えるようなオレンジ色の太陽はきらきら光るビルの彼方に沈んでいった。混みあっていたビーチもやがて空っぽになり、足跡の筋がそこらじゅうに入った砂の上に、あばた面の月がふわりと浮かんだ。もう帰る時間だった。

「荒廃へ戻ろう」僕らのうちの誰かがふざけてきっとそう言った。

荒廃の認定が下りてまもないある日のことを僕は覚えている。僕らはロックウェル・アベニューを歩いていた。トラック置場を通り抜けながら、ジグとペパーと僕は、ダグラス・パークのそばのガード下へ行く途中だった。ペパーは得意のファッツ・ドミノの真似をやっていた。『ブルーベリー・ヒル』の出だしの部分で、ちゃんとピアノのリフまで付いていた——バン・パ・ダ・バン・パ・ダ・ダーーーン…

ブルーベリー・ヒルでめっけた
おいらのスリル…

それはガード下へ行くときのいつものルートだったが、荒廃の認定が下ってからというもの、僕らは自分たちの環境を新しい視点から眺めようとしていた。何かが変わったのか、少なくとも変わったように見えるのか、それを見きわめようとしていた。荒廃という言葉は重々しい響きがした。聖書を思わせないでもなかった。イナゴの大群が引き起こす事態とかをだ。

「じゃなきゃ放射能を浴びた巨大なゴキブリの群れが、下水道からはい上がってくるとかさ」とジグが言った。

「何が荒廃だ、キンタマ野郎どもが」とペパーが、自分のキンタマをつかんで世界に向けて振り回しながら言った。「これが荒廃だって? ふざけんなよ、雑草だって木だって何だってあるじゃないかよ。18番通りを見てみろってんだ」

僕らは線路ぞいに乗り捨てられたビュイックの前を通り過ぎた。そのビュイックはもう何か月もそこに放ったらかしになっていて、冬のあいだについた塩気まじりの埃がべったり残っていた。汚れたトランクに誰かが「洗って《ウォッシュ・ミー》」と落書きしていたが、ボンネットには別の誰かが「鞭でしばいて《ウイップ・ミー》」と書いていた。ペパーは車のアンテナをもぎ取って、それを振り回してひゅうひゅうと鳴らし、それからフェンダーにばんと叩きつけ、ラテンのビートを刻みはじめた。ジギーと僕は彼がノリにノッて車を叩くのを見ていたが、やがて二人とも棒切れやレンガのかけらを拾ってきて、ボンゴやコンガでも叩くみたいにヘッドライトやバンパーをボカボカ叩き、みんなで『テキーラ』のメロディを口ずさんだ。「テキーラ」とどすをきかせて叫ぶたびに、ボンネットの上で踊っていたペパーが、フロントガラスを足で割るのだった。

僕らはそうやって、ガード下のための景気づけをした。ガード下は天然のエコー・ルームみたいなところで、スクリーミン・ジェイ・ホーキンズの『アイ・プット・ア・スペル・オン・ユー』に夢中になって以来、僕らはそこでしょっちゅうブルース・シャウトを競いあっていた。そうやって一緒にシャウトを練習しているうちに、僕らのバンド「ノー・ネイムズ」が出来上がったのだ。バンドの練習場は、僕が住んでいるアパートの地下室だった。ジグがベース、僕がサックス、ペパーがドラムス、それにディージョという奴がアコーディオンを弾いたが、ディージョは、金を貯めてエレキ・ギターを買うからさ、と僕らに約束した。

ペパーは上手かった。生まれつき才能があったのだ。

「やってるうちに狂っちゃうわけよ」彼は自分の才能をそう言い表わした。

ペパーは本名をスタンリー・ロサードといった。母親は時おり彼をスタシューと呼んだが、彼はそれを嫌っていた。母親はポーランド人で、父親はメキシコ人だった。僕らの町でいちばん多い二つの人種が、一つの家庭のなかに同居していたわけだ。それはかならずしも和気あいあいの同盟関係ではなかった。特にペパーの内面ではそうだった。頭に来ると彼はすごく乱暴になった。いろんな物が痛い目に会った。人間も痛い目に会うことがあったが、物はかならずだった。物を壊すことで、彼は心が穏やかになるらしかった。時には自分が物を壊しているのを自覚していないことすらあった。リンダ・モリーナに花を持っていったときがそうだ。リンダは小学校以来ペパーがずっと惚れ込んでいた女の子で、マーシャル大通り《ブールバード》の、アサンプション教会の真向かいにある小綺麗な二世帯住宅に住んでいた。単に教会のそばに住んでいたせいかもしれないけれど、リンダにはいつも独特の後光がさしていた。ペパーは彼女を「汚《けが》れなき乙女」と呼んでいた。やがて彼はついに意を決し、リンダに電話をかけた。驚くなかれ、リンダは彼を家に招待してくれた。ペパーは天にも昇る思いで大通りを歩いた。頃は晩春、夏はもうすぐそこまで来ていて、緑の大通りが巨大な芝生の庭のようにリンダ・モリーナの家の前に広がっていた。大通りの真ん中に、チューリップが咲き乱れる花壇があった。それは市が植えたものだった。茎がしゃんと高く伸び、花というよりトウモロコシのような感じだった。色とりどりの花びらがそよそよと揺れていた。そのチューリップは僕らの町でいちばん美しい眺めだった。母親たちは赤ん坊を乗せた乳母車を押してその前を通り過ぎていった。老人たちは何ブロックも向こうからよたよたやって来て、まるで聖なるものでも眺めるみたいに花の前で立ちつくした。

リンダが玄関に出ると、ペパーがおそろしく大きな花束を抱えて立っていた。根っこにはまだ土の塊がくっついていた。

「これ、君にと思って」ペパーは言った。

リンダは感激して笑顔を浮かべ、花束を受け取った。それから、彼女の眼が恐怖に開かれた。「まさか、あなた――」

ペパーは肩をすくめた。

「豚《レチョン》!」と汚れなき乙女は金切り声を上げ、彼の顔にチューリップの雨を降らせて、ドアをばたんと閉めた。

それはもう一年以上も前のことだったが、リンダはいまだに彼と口をきこうとしなかった。そのためペパーのブルース・シャウトには、格別ソウルっぽい味が加わることになった。特に、スクリーミン・ジェイ・ホーキンズにならって、叫ぶ前に「アイ・ラヴ・ユー」という言葉をかならず付けたために、なおさらその味わいは深まった。アイ・ラヴ・ユー! アイイイヤアアアアアア!!!

スクリーミン・ジェイのブルースの息づかいまで、ペパーはちゃんとマスターしていた。

僕らはガード下の薄暗い入口に立って、向こう側の緑っぽい光をのぞき込んだ。それはダグラス・

パークの草木の緑だった。やがてペパーがアンテナか板か鎖で橋桁を叩きはじめた。反響する音同士がぶつかって響き渡った。ジギーと僕は空壜やビール缶を叩き、三人でスクリーミン・ジェイやハウリン・ウルフみたいに、あるいは「ジャム・ウィズ・サム」深夜ブルース・ショーで聞いた迫力満点のコーラス隊みたいに、叫び、わめき、金切り声を上げた。時たま汽車がすごいスピードで走りすぎていったが、頭上で響くそのびゅうんという音も音楽の一部みたいに思えた。そんなとき、僕らは一段と大声で叫んだ。そうしながら僕は親父が、子供のころ汽車を真似て声を潰したりしなけりゃオペラ歌手になれたのに、と言っていたのを思い出すのだった。あるとき、ガード下の向こうのダグラス・パークの側に黒人の子供たちの一団が現われて、バスからファルセットまで揃ったハーモニーを響かせた。コースターズそっくりの見事なハーモニーで、はじめ僕らは声の大きさでそいつらを圧倒してやろうと思ったのだが、あんまり綺麗なので、ペパーがリズムを刻みつづけた以外は、結局みんな黙って聴き惚れていた。

僕らはガード下のこちら側から喝采を送ったが、向こう側へ行こうとはしなかったし、黒人の子供たちも動かなかった。前の年の暴動以来、ダグラス・パークは新しい境界線になっていたのだ。

「こんないいガード下があるところが荒廃してるわけないじゃないか、そうだろ?」帰り道にまだアンテナを振り回しながらペパーが言った。

「実を言うとさ」とジギーが言った。「前から俺、このへんてちょっとメチャクチャじゃないかって思ってるんだけどね」

「そんなら話は別さ」ペパーは言った。「そんなら公認メチャクチャ地域って言えばいいんだ」

誰もわざわざ指摘はしなかったけれど、お役人がそんな言葉を、少なくとも公の場で使うわけはないことは明らかだった。だいたい市長からして「新たなる成功の陳腐が我々を待ち受けているのであります」なんて文句を吐いている役所の連中が、そんなこと言うわけないのだ「陳腐《プラティテュード》は充満《プレニテュード》の言い違い」。

それにまた、「公認荒廃」というのは税務署の用語であり、五枚一組の書類とか助成金とか政府補助金とかに関連した用語だということも、あえて説明する必要までもなかった。この言葉がコンピューターのなかを循環し、ワイロを使う連中、所得を隠す連中、策略を弄する連中、市会議員の一群、地域の党指揮者、党職の任命権を握った連中、その親戚や友人、等々の協力によって処理されているのだ。誰もそうは言わなかったけれど、どのみち僕らのところには一文も回ってこないことは、直感的にわかった。

でもそんなことはどうでもよかった。こっちが向こうを放っておけば、向こうだってこっちに手は出さないのだ。それに僕らは、あれこれ文句を言い立てるタイプではなかった。荒廃というのは、ニキビとか齢を取るとかと同じで、たまたま起こる何ものかにすぎない。それを公認することは、資産価値とかいう訳のわからない世界では意味があるんだろうけど、建物に居住不適裁定を下すとか、ある場所をスラムと規定するとかいった、根本的な意味があるわけではないのだ。スラムはガード下の向こう側にあった。

それどころか、荒廃地域指定というのは、考えようによっては、僕らに対する敬意の公式表明でもあった——何ブロックも続く工場、線路、トラック置場、産業廃棄物処理場、鉄くず置場、高速道路、下水運河などに囲まれながら、人々が自分の日常生活を何とかそのなかに割り込ませていることに対する、渋々ながらの敬意の。

心の奥底で、僕らはペパーが言わんとしていることに同意していた。要するにペパーは、荒廃なんて悦びとは何の関係もないんだと言おうとしていたのだ。建築物調査員や社会福祉員がやって来ようと、市長が黒いリムジンでうろつき回ろうと、連中はガード下の音楽のことなんか絶対にわからないだろうし、聖人がウィンクしたりこっくりうなずいたりする教会を知ることもないだろう。そして、僕の家の隣に住む、僕らのバンドのギター奏者ジョーイ・〈ディージョ〉・ドゥキャンポがついに彼の小説の題を考案し、その題に啓示を受けて偉大なるアメリカ小説『荒廃地域』を次の一文とともに書きはじめたことも、連中には絶対わかりっこないのだ——「下着姿で屋上に遊ぶ病める老人たちのようにいつしか夜が明けてゆく」。

僕らはディージョにそれを何度も何度も読ませた。

ディージョは有頂天になって家にとんで帰り、一晩じゅう小説を書いた。彼が書き出すと僕にはいつもすぐわかった。それは彼の眼が異様に輝き、夢でも見ているみたいな様子になるからだけではない。ディージョは音楽を聴きながら書くのが常で、その音楽はたいてい『序曲一八一二年』だったのだ。彼の部屋の窓と、僕の部屋の窓とのあいだには、家と家とを仕切る細い通路しかなかったから、午前二時に鐘が鳴り渡り大砲の轟きが聞こえると、それは彼が創作に励んでいるしるしなのだった。

翌朝、どんより濁った目で、つぶれたラッキー・ストライクをくわえて、ディージョは僕らに二番目の文を読んで聞かせた。その文というのがボールペンでルーズリーフにびっしり二十ページ書き綴ったもので、下着姿で屋上に遊ぶ老人たちとは何の関係もなかった。まだ本題がはじまってもいないのに、ディージョは早くも脱線してしまったらしかった。それは、一匹のクモと一匹のイモ虫との壮大な闘いを語った文だった。その闘いの場は僕らのアパートのあいだの通路だった。これは絶対この通路で朗読しなくちゃいかん、とディージョは主張した。通路は彼の声にエコーのような余韻を与えた。彼が眼をページに釘付けにして朗読するなか、空いている片手は滅茶苦茶に動き回り、クモみたいにさっと舞い降り、指は緑のイモ虫の腹に突き刺さるクチバシのように飛び出し、悲鳴を放つアゴのように握りこぶしがさっと開いた。イモ虫が身をのけぞらせ、呪われた魂の如き吠え声を上げ、毒を含んだその毛を逆立てるにつれて、彼の声は一段と大きくなった。ペパーとジギーと僕はそれを聞きながら、時おり顔を見あわせた。

べつにディージョの脱線が気になったのではない。僕らが話をすればいつだってそうなったのだ。弱ったのは、虫に対するディージョの異様なこだわりがまたも頭をもたげてきたことだった。たしかに、虫にこだわっていたのは彼一人ではなかった。僕らの町に原生する野性動物——雀、鳩、二十日鼠、ドブ鼠、犬、猫——のなかで、自然のグロテスクな豊饒さを感じさせてくれるのは虫だけだった。たいていの子供たちは、虫をちょっと虐待してみることによって、虫に対する驚異の念を一度は表明したものである。でもディージョは虫に憑かれていた。彼は虫殺しとして悪魔的な有能さを身につけていた。何時間もアリの巣をじっと観察し、チョコバーでアリをおびき寄せたりしてから、カンシャク玉で巣を爆破するような子供が時どきいるけれど、ディージョはまさにそういうタイプだった。ある日、彼のおじいさんのトニーが言った。「おいジョーイ、じき超小型マイクが発明されてな、連中がギャアギャアわめいてるのが聞けるようになるぜ」

トニーじいさんは冗談のつもりだったが、この一言でディージョの世界観は決定的に変化した。世界は突如、微小の声が無数にひしめき合う場となり、ディージョはその声の一つひとつを魂と考えた。耳を澄ましさえすれば、夏の晩の虫のようにハミングする小さな聖歌隊のコーラス、恐怖と美の言語を語る声、それが常時聞こえてくるのだった。生まれてはじめて、ディージョはその言語を理解した。

この幻覚が彼を詩人にした。僕らが彼をノー・ネイムズのメンバーに加えたのも、ギタリストとしてよりも詩人としての才能を評価したからだった。僕らのなかで歌詞が書ける奴はほかにいなかった。僕がちょっと物真似っぽい詞を書いたことがある程度だった。たとえばジェリー・リー・ルイスの『火の玉ロック』をもじって僕はこう書いた——

おいらのパンツはわらぶきパンツ
　君が現われマッチで火つけ
おいらは熱くてギャースカわめく
　こいつは大変キンタマが火事だ!

僕らとしてはもうちょっとソウルっぽい詞を求めていた。ペパーの憤怒と、ジギーの預言者的な夢が伝わってくるような詞を。ディージョがリフレインさえ書けたら、まさに僕らが求めていたものができあがったことだろう。ディージョはすごくカッコいい詩をどんどん書くことができた。たとえば『寂しきは降りしきる雨』は——

寂しきは降りしきる雨、
あらゆる味が
同じに思える、

寂しきは柳の木、
緑のドレスが
娘の膝を覆い、

寂しきは海に漂う船……

ディージョは寂しきものの名を何ページでも綴ることができたが、リフレインにはどうしてもたどり着けなかった。彼の歌は完結ということをかたくなに拒んだ。ひたすら先へ進む、絶対に覚えられない歌だったのだ。

それにディージョは綴りもメチャクチャだった。僕らとしてはそんなことはどうでもよかったが、あるときそれが元で悲惨な結果が生じた。それはリンダ・モリーナに贈る詩をペパーに頼まれたときのことで、ディージョは「僕は夢見る」という詩を書き、その結びはこうなっていた――

　僕は夢見る　僕の両腕が
　君の排泄物をかき抱くのを
〔「排泄物」waste は「腰」waist の間違い。発音は同じ〕

リンダはこの二行を丸で囲んでペパーに送り返してきた。そこには、アイブロウで怒りの言葉が書きなぐってあった――豚《レチョン》！　阿呆《エストゥーピド》!!　ヘンタイ!!!

ペパーはそれをラブレターのようにたたんで財布に入れて持ち歩いた。


だが『荒廃地域』に戻ろう。

僕らは通路に立ってディージョの朗読を聞いていた。永遠に終わらないかと思えたその一文は、いまやクライマックスに到達しかけていた。クモとイモ虫が、自分たちの闘いが無為な闘いであり、どちらも最終的な勝利を収めることは不可能なのだと悟ったときに、一羽のスズメが舞い下りてきて、両者をあっさり飲み込んでしまうのである。

これは寓話であるわけだ。ディージョがその教訓に到達するまでに、いったい何匹の昆虫の命が犠牲となったことだろう？

僕らはうつむいて呟いた。「うん、すごいよ、ディージ、イケるぜ、うん、マジだよ、この調子でさ、うん、こりゃもう、ベストセラーだよな」

彼はルーズリーフの原稿をたたんで、尻のポケットに突っ込み、何も言わずに歩き去った。

あとになって、誰かが『荒廃地域』の話を持ち出し、あの書き出しの一文はすごいねと言うと、ディージョは決まって「ああ、あとはずっと下り坂さ」と答えるのだった。

どうやらディージョの小説はしばらくは完成しそうもなかったので、僕らはとりあえずそのタイトルをバンドの名前に借りることにした。僕らはあれこれバリエーションを考えてみた——「荒廃地域《ボーイズ・フロム》少年隊《・ブライト》」、「荒廃参上《ブライツ・アウト》」、「荒廃軍団《ブライト・ブリゲード》」。本当は「ペパーと荒廃団《ブライターズ》」にしたかったのだが、ペパーが絶対だめだと言うので、ただの「荒廃団《ブライターズ》」で妥協した。それでも「ノー・ネイムズ」よりはるかにマシだった。はじめは「ノー・ネイムズ」も気に入っていたけど、何だかアイデンティティの危機を宣伝してるみたいに思えてきたのだ。それに、「ノー・ネイムズ」という名前では、朝鮮戦争帰りの連中が作った、酒場がスポンサーになっているソフトボール・チームにイメージが似すぎていた。僕らがまだ幼かったころ、この戦争帰りの連中は僕らの英雄だった。インディアンやハーレーのバイクにまたがり、街角を矢のように走り抜ける彼らを学校の帰り道などに見かけると、まるで伝説上の人物を見ているような気がしたものだ。いまや彼らは角の酒場にたむろし、ビール腹をふくらませ、週に二、三晩、ユニフォームも名前もないチームでソフトボールの試合をやっていた。チームによっては、スポンサーの酒場の名が背中に入ったジャンパーを持っているところもあったが、酒場の名前もたいていはビールの名を取ったものだった——25番通りの「フォックス・ヘッド400」とか、26番通りの「エーデルワイス・タップ」とか、あるいはその南の「カルタ・ブランカ」とか、そんな名前だ。夕方になると、時おり僕らはローンデール・パークまで出かけていって、酒場チームが照明灯の下でソフトボールをやるのを見た。彼らはいつも決まって、デイモン・デモンズとかラテン・コブラズとかいった名前の、金と黒のユニフォームで身を固めた連中に、コテンパンにやられてしまうのだった。

名前がないということと、敗北者であるということには、ある種の暗黙の関係が存在するように思える。試合を終えた朝鮮帰りの連中が、行きつけの酒場の、ブーンとうなるネオンの下に集まって、ビールをガブ飲みしソフトボールを放り上げるのを見ていると、この連中は自ら好んで名なしであることを選び、それに伴う敗北者の地位を選んだんじゃないだろうか——そんな奇妙な思いに僕は襲われたものだ。彼らを一つにまとめていたのは、彼らがたがいのなかに見出そうとした何ものかだった。見ようによっては、朝鮮戦争が彼らの選択を確定したとも言えるが、徴兵される前からその選択は彼らのなかにあったのだ。連中がオートバイ・クラブを結成したときのことを僕はいまでも覚えている。彼らはそのクラブを「オートバイ・クラブ」と名づけた。実際には、誰もその名前さえ使わなかった。

名前がないオートバイ族なんて聞いたことがなかった。

そういう連中の多くは、ペパーやジギーが住んでいる公営団地の育ちだった。キャブリーニ＝グリーンとかいった不吉な名前がつくようなところじゃなくて、ただ単に「団地」で通っている、だらだら何ブロックも建物が続く団地だ。名なしのチンピラたちが何世代にもわたって団地のあたりをうろつき、やがて姿を消し、変テコな、やっぱり名なしの落書きを残していった——署名のない警告、脅し文句、呪い。チンピラグループの名前が権威づけに書きそえられていることもなかった。

荒廃団になってはじめて、僕らは自分たちを取り囲む無名性に気がつき出した。ほかの町には少なくともアイデンティティがあった――バック・オブ・ザ・ヤーズとか、マーケット・パークとか、ローガン・スクウェアとかグリークタウンとか。ハルステッド・アンド・テイラーのように、有名な交差点の名が地名になっているところもあった。市長が生まれ、いまも住んでいる町がブリッジポートという名であることも、みんなが知っていた。ホワイト・ソックスの球場からすぐそばの町だ。ところが僕らの町ときたら、郵便配達の区域番号に合わせて「ゾーン8」と時たま呼ばれることはあったが、この呼び方にしたってぜんぜん定着しなかった。「ゾーン8に戻ろう」なんて言う奴は一人もいなかった。自分の小説のタイトルに『ゾーン8』はどうかと、ディージョはしばらくのあいだ考えていたが、それじゃ何だかSFみたいなので結局やめにした。

荒廃団になってみると、ちょっと町を歩いてみるだけで、いままで慣れ親しんできたいろんなものに名前がないことがわかってきた。たとえば小さいころから毎日その前を通り過ぎてきた樹木とか、「オールド・ウィドウ」の前庭の青いプラスチック製マリア像のまわりに咲いている、みんなでいつも見惚れてきた花とかだ。通りの名前まで、たいていは番号だけだった。デビー・ワイス――僕がダウンタウンで知りあった女の子だ――に言われなかったら、僕はそんなことに気づきもしなかっただろう。

デビーも女子高のバンドでサックスを吹いていた。僕が彼女と出会ったのは、ライオン&ヒーリー楽器店の楽譜売場でのことだった。僕らは二人とも、同じリトル・リチャードのソングブックをパラパラめくっていた。リトル・リチャードの歌にはすごくカッコいいサックスの間奏が入る。体をエビみたいに曲げて背中を床にくっつけ、両脚を宙にバタバタさせながら吹くたぐいの間奏である。

「テナー、それともアルト?」デビーは楽譜から目も上げずに訊いた。

僕はあたりを見回し、彼女が僕に話しかけているのだということを確かめた。彼女は『トゥッティ・フルッティ』を小声でハミングしていた。

「テナー」僕たち二人が話をしていることに驚きを覚えながら、僕は答えた。

「あたしも誕生日のプレゼントにテナーが欲しいと思ってるの。アルトは持ってるんだけど。マーチンの古いやつ。シーモア叔父さんのだったの。叔父さんはチック・ウェッブのバンドにいたのよ」

「へえ、そう」僕は恐れ入って言った。でも実のところチック・ウェッブって誰なのか、よくはわからなかった。「どうして僕がサックスやるってわかったの?」と僕は彼女に訊いたが、自分がいかにもサックスを吹きそうな人間に見えるんだなと思って、内心ちょっぴり得意だった。

「サックスやってるか、ネクタイの趣味が変テコか、そのどっちかしかないじゃない。あなたいつもそうやってストラップつけたまま歩き回るわけ?」

「いや、練習のあとで外すのを忘れたんだ」と僕は説明した。こうして僕は彼女に対するはじめての嘘にすんなり入っていった。本当は、ちょうど僕らの町のメキシコ系の連中がTシャツの上に金の鎖をじゃらじゃらつけてるみたいに、僕もサキソフォンのストラップを年じゅう身につけるようになっていたのだ。その先っぽに付いているのは、僕の場合十字架ではなく、神秘的なギリシャ文字みたいな、ホーンを引っかけるための小さなフックだった。

僕らは楽器店から角を曲がったところにある、デビーの知っているジュース・バーに行った。僕はココ＝ナーナを、彼女はマンゴとパパイヤとパッション・フルーツの入った何とかいう名前の飲み物を注文した。

「で、あなたがサックスやってるってこと、どうやって私がわかったと思ったわけ？　親指のタコでわかったとでも？」そう言って彼女は笑った。

僕らはいつもホーンを持っているせいでできた親指のタコを較べあった。面白い女の子だった。こんなに話しやすい女の子ははじめてだった。僕らは音楽のことやサキソフォンのリードのことや学校のことを話しあった。一つだけ具合が悪かったのは、僕が彼女に嘘ばかりついていることだった。シセロの町のバンドに入っていてね、マフィアが経営しているクラブで演奏してるんだ、と僕は彼女に言った。シセロって一ぺんも行ったことないけど、なんかもう最悪なとこみたいね、と彼女は言った。「もう最悪なとこ」というのは彼女が好んで使うフレーズの一つだった。彼女は北側《ノース・サイド》に住んでいて、遊びにいらっしゃいと誘ってくれた。そして紙ナプキンに住所を書き、道順わかるかしらと訊いた。僕は「もちろんさ、よく知ってるあたりだよ」と答えた。

自由の地、北へ――デビーに言ったホラを一つひとつ思い出しながら彼女の家にはじめて行く途中、僕は心のなかで何度もそう言った。そこへ行くには乗り換えが二度あって、一時間以上かかった。結局僕は道に迷って、西も東もわからなくなってしまった。僕はそれまで、番号の地名になじんでいた。自分がいまいる場所がどこで、次に何が出てくるか、確実にわかる地名に慣れていたのだ。「緯度とか経度みたいにね」と僕はデビーに言った。

北側《ノース・サイド》の通りにはそれぞれちゃんと名前が付いているから、北側のほうが品位があるわ、と彼女は主張した。

「数字には個性というものがないのよ、デイヴィッド。22番なんて名前の通りに、いったいどんな感情を抱けるわけ？」

科学博物館に一度行ったのを別にすれば、彼女は南側《サウス・サイド》に行ったことがなかった。彼女の家からの帰り道、ダグラス・パーク方面のB列車に乗りながら、僕は彼女が隣に座っているつもりになってみた。自分が降りる駅に近づくと、タール紙を貼った屋根、家の裏手のポーチ、路地、工場と工場のあいだにはさまった裏庭を見下ろして、はじめて見る人の目にこの風景はどんなふうに映るんだろうと考えた。

夜になると、22番はカラフルな光の洪水になった。ウィンドウや舗道のネオンサインがきらきら光り、その脇をヘッドライトが疾走していった。あたりにはレストランからの匂いが充満していた——ハンバーガーの焼ける匂い、ピザの匂い、タコス屋のコーンミールや揚げ物の匂い。ドアを開け放した酒場から、音楽がガンガン響いてきた。雨が降って、つるつる滑る道路に街灯がゆらめくと、後部席のディージョは決まって『ハーレム・ノクターン』を口笛で吹いた。

僕は53年型のシェヴィを親父から相続していた。といっても親父が死んでしまったのではない。車のほうがもう死んだと、親父が判断したのだ。車はまさに荒廃車《ブライトモビール》という感じで、塗装がまだ剝げてない部分は、カラシ色というか、赤ちゃんのウンコみたいな色だった。でもつくりは戦車のようにごっつく、立てる音もまるっきり戦車みたいだった。ニュートラルでアクセルをめいっぱい踏んでからドライブに切り換え急発進しても、タイヤの跡が道路につくなんてことは全然なかった。

25番小路では、夜になると時どきドラッグ・レースが開かれた。25番は奥が行きどまりになっていて、閉鎖された工場や、飲んだくれの連中が捨てた車なんかが道の両側に並んでいた。貴君のシェヴィはこれら老いさらばえた車と肩を並べてこの道端に置かれるのが妥当ではあるまいか、という提案が僕に対してなされたことも一度ではなかった。レースをやる連中は、車体の前を丸くし、後ろを高くし、フェンダーを外し、おそろしく大きなエンジンがクローム・パイプからぶんぶんうなり声を立てているピカピカのカスタムメイドマシンを、路上にずらりと並べた。やがて誰かがシャツを振り、彼らはいっせいにものすごい轟音を立ててスタートし、ガラクタが並ぶ道路でタイヤを焦がした。僕らはおまわりがやって来るまで見物を続け、それからみんなでガソリン代を出しあってドライブに出かけた。僕が運転し、ジギーがラジオのダイヤルをいじくり回した。みんなは音楽にしろとわめいたが、ジギーはホワイト・ソックスの試合中継にダイヤルを合わせた。

僕のシェヴィにもカスタムメイドの部分が一箇所だけあった。それは木製のバンパーで、キャナル・ストリートで危うく命を落としかけたあとで、仕方なく付けたのだ。この車を相続したとき、僕はまだ仮免許しか持っていなかったので、すでに免許を取っていたジギーに一緒に乗ってもらって試験を受けにいった。試験場へ行く途中、練習にと思ってスピードを落とさずカーブを曲がろうとしたら、キャナル・ストリートの歩道に乗り上げ、そのまま走りつづけて駐車禁止の標識にぶつかり、それを橋の向こうまでふっ飛ばしてしまった。ヘッドライトの破片が、雨のようにフロントガラスに降ってきた。ジギーは叫び声が喉のところでひっかかったまま息を詰まらせていた。僕はぐいんとUターンし、全速力で僕らの町へ逃げ帰った。何ブロックも行ってから、ようやくジギーは息ができるようになった。僕も腰が抜けたみたいになって、安堵のあまりげらげら笑いだした。ジグは僕をぽかんと見つめた。こいつ、ひょっとして頭がどうかしちゃって、駐車禁止の標識を倒したいがためにわざわざ歩道に乗り上げたんじゃないだろうか――そう思ってるみたいな顔で。

「まったく、冷やっとしたぜ！　デイヴ、お前、もうちょっとで人生メチャメチャってところだったぜ」とジグは僕に言った。何だか親父に説教されてるみたいだった。その夏ジギーは、心配のあまりいままで以上に神経質になっていた。ホワイト・ソックスが突然首位に上がっていたので、ソックス優勝の夜に原爆が落ちるという昔からの悪夢に、いつにも増して苦しめられていたのだ。

ヘッドライトが壊れたほかに、バンパーも標識にぶつかった箇所がぽっかりへこんでしまっていた。ペパーのアイデアで、僕らはへこんだところにチェーンを巻きつけ、チェーンの端を地下室の窓枠に固定して、アクセルをぐっと踏んで車をバックさせ、へこみを直そうとした。そしたらバンパーごと外れてしまった。そこで、機械に強いと自認するペパーが、馬鹿でかい木製のバンパーを針金で縛りつけたのである。ペパーはシェヴィに対し奇妙な愛情を抱くようになっていた。運転させてやると、路地裏を走り、木のバンパーでゴミバケツをドス！　ドス！　ドス！　と着実なバスドラムのリズムでなぎ倒して回るのだった。

車に対するペパーの愛情はますます深まり、やがていつも自分が運転していないと気が済まないほどになった。僕にはその気持ちが理解できた。ボロ車にはボロ車でしか味わえない、独特の自由な感覚があるのだ。それは車を滅茶苦茶にぶっつけても全然やましい思いをせずに済むことから生まれる感覚である。まるで自分が不滅の、痛みというものを知らぬ存在になったような気がするのだ。土曜日になると僕らは近所を流して回った。どこを見ても、車にワックスを塗っている連中とか、ボンネットを上げてなかをいじくり回している奴らがいた。

僕は窓の外にサックスをつき出し、彼らに向かって警笛みたいに鳴らして、「おたくら、鉄クズ相手に素晴らしい一日を無駄にしてるぜ」とどなった。

ワックスをごしごし塗っていた彼らは顔を上げ、僕に向かってウルセェと指をはじいた。

「哀れな間抜けのアホどもよ」とペパーがあざけるように言った。

ペパーは片手でハンドルを握り、もう一方の手でラジオががなり立てる音楽に合わせて屋根を叩いた。シェヴィはペパーにとってドラムセットの付属品みたいなものだった。赤信号に行き当たると、彼は車から飛び出してボンネットをボカボカ叩いた。ペパーが運転役に回って以来、僕はサックスを持ち歩くようになった。人々がぼーっとバスを待っている停留所の前で僕らは車を停め、ペパーがフェンダーでリズムを叩き、僕が『ハンド・ジャイブ』のメロディーを吹き鳴らした。それからまたシェヴィに飛び乗り、逃亡する犯人みたいに轟音を立てて去っていくのだ。あるとき、僕らは警官たちに停車を命じられ、持ち物を検査された。僕のサックスを、連中は武器か何かみたいにじっくり調べた。

「音楽やっちゃいけないっていう法律でもあるんですか?」とペパーが何度も問いつめた。

「あるともさ、小僧」と警官の一人が答えた。「治安妨害っていうんだよ」

結局僕はシェヴィを25ドルでペパーに売った。修理したいんだと彼が言ったのだ。でもいざ買ったら、ペパーは車をハンマーとして使った。新しい高速道路の建設現場を夜中に走って、黄色く点滅する安全灯や「御迷惑をおかけしております……」と書いた看板を片っ端からなぎ倒して回るのだ。しばらく前から、眼をぴくぴく引きつらせ、吃るようになっていたジギーは、これ以上ペパーと乗るのは御免だと言い出した。

ホワイト・ソックスは勝ちつづけた。

ある晩、39番通りの赤信号を走り抜けようとペパーがエンジンをふかしたとき、トランスミッションがすっぽり路上に落っこちてしまった。ペパーとディージョと僕は何ブロックも車を押して歩いたが、警官には一度も出くわさなかった。それから道がわずかに下り坂になり、いったん勢いがつくとシェヴィは惰性で転がっていった。ペパーがなかに乗り込んでハンドルを握った。キーは入ったままだったので、ラジオはまだ鳴っていた。

「俺たちどこに向かって転がってるのか、誰かわかるか?」とディージョが訊いた。

「どん底に向かってさ」ペパーが言った。

僕らは下水運河にまたがる橋をガタゴトと越え、渡り切ってすぐペパーが急ハンドルを切り、石炭殻を敷きつめタールを塗った、街灯もない横道に入っていった。道は鋳造所を越え、川沿いに続いていた。下り坂だったが、穴ぼこや溝だらけなので、三人でブツブツふうふう言いながら押さないと車は動かなかった。

「25番小路に捨ててきちゃえば簡単だったのに」とディージョがぜいぜい喘ぎながら言った。

「だめだめ」ペパーが言った。「俺たちはアル中の奴らとは違う」

「俺たちには品位がある」と僕は言った。

道は鉄道の踏切りに行き当たった。三十分間揺すぶったり持ち上げたりして、僕らはやっとシェヴィを線路の上に乗せた。それから鉄橋まではまた下り坂だった。僕らは鉄橋の真ん中で止まった。ペパーが車の屋根にのぼって黒い川の向こうを見渡した。たった一つ煌々と光るスポットライトみたいに、月が油っぽい水面を照らし出していた。ラジオではフランキー・アヴァロンが歌っていた。

「そのアホ黙らせろ。俺そいつ大嫌いなんだ」とペパーがわめいた。車への最後の祝福のしるしとして、彼はボンネットの上に小便をしている最中だった。

僕はラジオのダイヤルを回して、オールナイトのムード・ミュージック局にチューニングを合わせ――シナトラが『ディーズ・フーリッシュ・シングズ』を歌っていた――ボリュームを一杯に上げた。ペパーが屋根から飛び下り、ヘッドライトを点け、僕らはみんなで車を押して川に落とした。ばしゃん！　と車は落ちて、橋桁が揺れた。橋の下から鳩たちが飛び出してきて、暗闇のなかをあたふたと飛び回った。僕らは欄干ごしにじっと水面を見ていた。油のように重たい川の水のなかからシェヴィがひょっこり浮かび上がって、月光を浴びてプカプカ流れていく姿が見えることをひそかに期待しながら。でも、あぶくが水面に上がってきて、それっきりだった。それから、トランクにサックスが入れっぱなしだったことを僕は思い出した。

一週間後、ペパーは新しい車を手に入れた。赤いフューリーのコンバーチブル。年上のいとこのカーメンが保証人になってくれたのだ。ペパーは第一回の支払いを済ませた。二回目からはもう払うつもりは全然なかったのだが、とにかくその一回目の払いは、堂々と赤く輝くドラムセットを売って金を工面した。バス、スネア、タムタム、シンバル、ハイハット、ボンゴ、コンガ、カウベル、ウッドブロック、タンブリン、ゴング——四年生のときから、誕生日、クリスマス、堅信式、卒業式のたびに、女の子がネックレスに真珠を一つずつ足していくみたいに集めてきたセットである。ドラムセットのうしろにのぼったペパーは、自分の玉座を叩く狂った王様のように見えた。はじめ僕らは、ペパーがそれを全部売り払ってしまったなんてとても信じられなかった。彼が学校をやめて海軍に入ると言ったときもそうだ。

彼はお抱え運転手みたいに優しくフューリーを運転した。あのシェヴィが橋から落ちたとき、彼の狂気の一部分まで一緒に抜け落ちたみたいだった。ジギーもまた一緒に乗るようになった。もっとも、〈行け行けソックス〉のステッカーを付けた車とすれ違うたびに、目をぴくぴく引きつらせ、暗い顔になったけれど。

優勝を目前にして、熱気が街を満たしていた。常敗チームに慣れきっていたシカゴの人々は、いまや祝勝の瞬間を待ち構えていた。屋根を開けて車に乗っていると、街に充満する興奮がひしひしと感じられた。僕らもその興奮の一部分だった。ペパーのフューリーから見る人生のペースは、シェヴィから見ていたときとは違って、もっとゆったりしているように思えた。モーターボートに乗ってゆるやかに水上を滑っているみたいだった。

ペパーはリンダ・モリーナの家の前を何度も何度もゆっくり通ったが、リンダは家から一歩も出てこなかった。前の年の夏のように、大通りの芝生にタオルを敷いて日光浴をすることもなかった。妊娠してテキサスの親類のところに行っているのだという噂もあった。ペパーはそんなの嘘だと言い張ったが、僕らとしては、ペパーが海軍に入ったのは、フランス人が外人部隊に入るのと同じ理由からなんだなという気がした。

「おいデイヴ、お前の知りあいの北側《ノース・サイド》の女のとこ行きたいか？」ペパーはいつもそう訊いた。

「べつにぃ」僕はいつもそう答えた。そんなの退屈だよ、と言わんばかりに。

たいていはさらに南へ向かって、僕らはひたすら車を走らせた。インディアナまで行くこともあった。インディアナの空気は焦げ臭く、空高くそびえる鋳造所の煙突が巨大な花火のように閃光を発していた。それから、スラムの最悪の部分を避けながら、ところどころネオンがぽつんと灯っている暗い街並を抜けて、僕らは家へ戻りはじめた。商店には格子のシャッターが下ろされ、南京錠もかかっていたが、まだ表にたむろしている子供たちは開けっぱなしにした消火栓の水を浴び、大人たちは酒場のネオンの光を浴びて立っていた。通り過ぎていく僕らを、彼らはじいっと見つめた。

僕らは前から話に聞いていたいろんな場所へ行ってみた——歩道がトラックの後扉の高さになっているフルトン野菜市場、ミッドウェイ空港、ドヤ街。そして車を止めてテイクアウトのスペアリブを買ったり、川沿いのシュリンプ・ハウスに入ったりしたが、最後はいつも、まるで何か見えない力が僕らをシカゴの中心へ引き寄せているみたいに、高層ビルを水面に映し出す湖に沿って湖岸高速道《アウター・ドライブ》をすっ飛ばすのだった。それはディージョが髪を伸ばした夏だった。彼はアゴひげも生やしはじめていた。こういうのをヴァンダイクひげと呼ぶんだとディージョは言ったが、ペパーはそれを、ディージョの体じゅうの毛を切って集めて糊で固めたものだと言って譲らなかった。

ぼうぼうに伸びた髪を風になびかせて、ディージョは何度も読んでボロボロになった『オン・ザ・

ロード』の一節を叫んだ。『スティーヴ・アレン・ショー』でジャック・ケルアックを見てからというもの、ディージョは祈禱書でも読むみたいに、歩きながら『オン・ザ・ロード』を読むようになっていたのだ。僕も負けずに、ヴィンセント・プライスの不気味な声を真似て、LP『ワード・ジャズ』に入っている詩を暗唱した。ディージョと僕はこのLPをほとんど全部暗記していた。僕がいちばん気に入っていたのは「クズ屋」という詩だ。それは次のようにはじまる――

私が夢みた夢ならざる夢のなかで、
私が眠った眠りならざる眠りのなかで、
ゴミだらけの庭にいるクズ屋を私は見た…

ジギーもこの詩には心酔した。
ダウンタウンに戻って、色とりどりの光を投げ上げているバッキンガム噴水を通るころには、ディージョはもう恍惚状態になっていた。ある夜、後部席に座っていた彼は、その青く光る丸天井ゆえに僕らが「神の家」と呼んでいた摩天楼の前に出たとき、立ち上がってそれに向けて両腕を伸ばし――その青は滑走路のライトと同じ、ロマンチックで寂しげな青だった――出し抜けに「俺、美に心酔しちゃうなあ!」とわめいた。
その瞬間にも、それはいくら何でもちょっとオーバーじゃないかという響きがした。僕らはみんなで缶ビールを一ダース空けていた程度だったのだ。ペパーは体全体を揺すぶってゲラゲラ笑い出し、ゲンコツで車体をボカボカ叩き、シェヴィを運転していた日々にしばし戻ったように見えた。ジギーまでが絶望から目ざめた。僕らはその晩、夜通し街をぐるぐるまわり、目を見開いてあちこちを指さしながら、「前方に美発見！　心酔せよ！」とわめきつづけた。

「右舷に美！」

「全速にて追跡中！」

「心酔圏内か？」

「ワオー！　心酔しちゃうねえ！　俺、美に心酔しちゃうよ！」

ディージョはこの一言で近所じゅうからさんざんからかわれた。ずいぶん日が経っても、みんなは相変わらず彼に「どう、最近美に心酔してる？」と訊いたり、他人に紹介するときに「こいつ、ディージョ。美に心酔してるんだ」と言ったりした。あるいは彼が表通りを歩いていると、通りかかった車のなかから誰かが手を振って、「よおよお、美の心酔者！」とわめくなんてこともよくあった。

フューリーが没収される前の最後の一週間、僕らを迎えにくると、ペパーはいつも「おーい、美に心酔しにいこうぜ」と言うのだった。

二週間ばかり経った蒸し暑い水曜の晩、クリーブランド球場で、九回裏一死満塁のピンチにゲリー・ステイリーが救援のマウンドに上がり、たった一球で打者を併殺打に打ちとって、ボールはアパリシオからクルーセフスキーに渡り、ホワイト・ソックスは四十年ぶりにペナントを獲得した。そのときペパーはもう、海軍の訓練基地があるパリス島行きのバスに乗って町を出たあとだった。もしまだいたら、きっとお祭騒ぎを楽しんだことだろう。午後十一時ごろ、空襲サイレンがシカゴの街じゅうに鳴り響いた。人々は寝間着姿のまま表に飛び出し、泣いたり祈ったり、町が粉々に吹っ飛ばされる直前にキノコ雲を一目見ようと首を伸ばして家々の屋根の向こうを見やったりした。実は、長年のソックス・ファンであるデイリー市長が、お祭気分を盛り上げようとサイレンを鳴らさせたのだった。

　ジギーはこれを境にすっかり変わってしまった。一言でも喋ればかならず吃ってしまうようになった。破滅の予感は外れたわけだが、助かったなんて気はしなかった。もう死んでしまったみたいな気持ちだと彼は言った。サイレンが鳴り出したとき、彼はベッドでガバと起き上がり、マリア様が彼に向かって笑いかけていた小学生時代からずっと持っているロザリオを握りしめた。彼はその晩ベッドを濡らし、その後も毎晩同じことをくり返した。ディージョと僕は彼を元気づけようとしたが、彼の支えになったのは、トマス・マートンの『七重の山』という、地元の教会の牧師にもらった本だった。ジグにとってその本は、ディージョにとっての『オン・ザ・ロード』以上に深い意味を持つようになった。ついにジギーは、どうせもうロクに口もきけないんだから、トマス・マートンのようにトラピストたちと暮したほうがいいと決心した。ケンタッキー州ゲッセマネにある修道院へ行って、マートンの本を片手に戸を叩けば、向こうだって自分を仲間に入れないわけには行くまい、そう彼は考えた。

「沈黙の誓いをさせられると思うんだ」とジギーは吃りながら言った。「だから僕から手紙が来なくても心配しないでいいよ」

「あっちの誓いのほうが心配だけどね」と僕は、何とか冗談でゴマかして決心を変えさせようとした。でももうジギーは笑うどころではなかった。僕は彼をからかったことを後悔した。

彼とディージョと僕はトラック置場と鉄道線路を越えて川まで歩いていった。僕らはカリフォルニア・アベニュー橋の上で立ちどまった。そこからは、川に掛かったほかの橋がずらりと並んで見えた。僕らがシェヴィを川に落とした黒い鉄橋もあった。僕らはもうほとんど夜通し歩きつづけていた。子供のころの思い出の場所を一つひとつ訪ねて回るみたいに、教会の前を通り、ガード下を抜け、大通りを歩いた。車に乗らずに歩いていると、自分が小さな子供に返ったような気がした。その晩はジグの最後の夜で、彼が歩きたいと言ったのだ。翌朝には家を出てケンタッキーまでヒッチハイクするつもりだった。ジギーが道端に立ち、通りがかる車に向かって「ゲッセマネ」と書いた紙を差し出している姿が頭に浮かんだ。僕は彼に行かないで欲しかった。一緒に歩きながら、僕はいろんなことを思い出したけれど、それを口には出さなかった。たとえば彼と僕とリトル・リチャードが出てくる夢のことなんかだ。リトル・リチャードはその後信仰に目ざめ、いまでは牧師になっているという話を僕はどこかで読んでいたが、沈黙の誓いなんてことはしていないだろうと思った。そんなことを考えているうちに、僕はひとつの幻想に取り憑かれた——修道士たちが全員、僧服のフードをすっぽりかぶり、完璧な沈黙に包まれて瞑想に耽るなか、突然ジギーが、吠えるような、耳をつんざく、聴く者の心を凍りつかせるワイルドなブルース・シャウトをキメるのだ。

翌朝彼は本当に行ってしまった。

ディージョと僕は手紙が来るのを待ったが、便りはいっこうになかった。

「沈黙の誓いってのは書くことにも当てはまるらしいな」とディージョは言った。

ジギーはともかく、冬になって、ペパーからは絵葉書が来た。熱帯の太陽が海に沈んでいく写真で、裏には「近ごろあまり美に心酔してない」となぐり書きしてあった。住所は書いてなかった。両親も離婚して団地を出てしまっていたので、ペパーの居所は調べようがなかった。

いろんな人が町を出ようとしていた。ディージョは親父と大喧嘩して出ていった。ディージョの親父は自分が二十三年間勤めている工場で、息子に流れ作業の仕事を見つけてやった。仕事の第一日目にディージョは姿を現わさず、親父はカンカンに怒って家に帰り、ディージョのひげをむしり取ろうとした。そこでディージョは、海軍から戻ったばかりで、オールド・タウン近郊の独身者向けアパートに住んでいる兄貴のサルのところに転がり込んだ。ディージョにとって唯一厄介だったのは、週末になるとサルがプライバシーを必要とするので、そのたびに家に戻らねばならないことだった。

荒廃団のなかで最後まで音楽をやっていたのはディージョだった。ギターも本当に買った——エレキではなかったけど。彼は針音だらけの古い78回転のレコードを何度も何度もかけて、ファースト・ネームがみんなブラインドかソニーかどっちかの黒人歌手たちの歌をさんざん聴いた。その上自分のレコードも作った。紙みたいに薄っぺらな、アセテートの匂いのする45回転盤で、裏面には何も入ってなかった。ディージョはそれを持って、以前朝鮮帰りの連中がたむろしていた酒場を一軒一軒回り、バーテンを口説いてジュークボックスに入れてもらった。酒場はどこも昔の活気がなくなっていた。朝鮮帰りの連中はもうあまり飲みに来なくなっていて、ソフトボール・チームもメンバー不足で自然消滅していた。常連として居ついたのは、ひどく冴えない連中だった。何もせずにぶらぶらして、野球の話をしたり飲み代を賭けてサイコロ賭博をやったりするだけだった。かつてプラターズやバディ・ホリーをガンガン鳴らしていたジュークボックスも、元のようにポルカばかりになった。メキシコの歌もあったが、なぜかそれも何となくポルカみたいに聞こえた。ディージョのレコードはたいていフランク・シナトラとレイ・チャールズのあいだに入れられた。ボールペンで「無情の女――ジョーイ・ドゥキャンポ」と活字体で書いたカードを、ディージはジュークボックスの表に差し込んだ。

それは彼が自作した歌だった。ディージョの髪は前よりさらに伸びていて、ヴァンダイクひげもたっぷりと貫禄がついてきていた。サングラスをかけ、革のサンダルをはくようになっていた。ループ短期大学に通っていた彼は、時どき同級生の女の子を連れてきた。おどおどした目の、生っ白いブロンドの女の子を連れて、エーデルワイスかカルタ・ブランカに顔を出し、生ビールを二杯注文するのだ。バーテンか、それとも仲間の誰かがディージョの合図を受けて、「なあ、R5でも聴かないか?」と言ってジューク・ボックスに金を入れた。「太っちょ女のポルカ」に負けない大音量で「無情の女」が鳴り響いた。古い78回転盤みたいな針音の向こうから、ディージョの鼻声と、3コードを刻むギターが聞こえた。

無情の女、
オー・イエー、神よ、
あいつは無情の女、
ウウウアアア…

突然、女の子は気づく――デルタ訛りを装ってはいても、それが紛れもなくディージョの声であることに。ディージョはニヤッと笑って、そのとおり、僕だよと照れ臭そうに言い、曲のリズムに合わせて指でテーブルを叩いた。僕はいつも思ったものだ。もしこの女の子が、僕がディージョに録音して欲しかった歌を聴けたとしたら、いったいどう思うだろうか、と。それはこうはじまる――

下着姿で屋上に遊ぶ、
ウウウアアア、
病める老人たちのように、
オー神よ、
いつしか夜が明けてゆく
イエー…

荒廃に戻ろう。
この言葉も僕の前から消えていった。特に僕の両親がバーウィンへ移ってからは、もうぱったり聞かなくなってしまった。数年後、徴兵を逃れるために全米貨物輸送の仕事をやめて大学に入ったとき、英文学概説の授業のなかでその言葉はふたたび姿を現わした。たぶん僕はたいていの人間よりそれに対して敏感だったのだろう。ディケンズとブレイクの作品などは、もうそこらじゅう荒廃に満ち満ちているように思えた。その授業の担当は「ペッペ」というあだ名の教授だった。彼は朗読が大好きで、二回目の授業からは誰も前の方に座らなくなった。オックスフォード訛りを身につけてはいても、興奮してペッペとツバを吐きながら彼が読み進むのを聞いていると、その下に隠れている、シカゴの南側《サウス・サイド》の訛りを僕ははっきり聴き取ることができた。th の音などは、ずいぶん無理して覚えたんだろうなという感じだった。「ようこそ、陽気な精《ブライズ》」("Hail to thee, blithe spirit") ではじまるシェリーの「ひばりに」を読んで聞かせたときなんかは、本でその詩を見つけるまで、また荒廃《ブライト》(blight) の話がはじまったのかと思ったほどだ。

ある春の日の午後、僕は授業をサボッてダグラス・パーク方面のB列車に乗り、昔住んでいた町に行ってみた。べつに前々から計画していたわけじゃない。とにかくどこかへ行ってじっくり考えたかったのだ。徴兵委員会は僕の兵役義務分類を変えようとしていた。僕としては、冗談じゃないぜという気持ちだった。どうにでもなれ、言われた通りにするさ、なんて気にはなれなかった。どうしてそんなふうに思うのか、落着いて考えてみたかったのだ。でも考える代わりに、結局僕は、昔北側《ノース・サイド》から帰って来たときのことを思い出した——デビー・ワイスが僕と一緒に電車に乗っているつもりになってみたときのことをだ。そして、いまふたたび、僕の住んでいた22番通りの駅に着いてみると、彼女の目にこの町がどんな風に映ったはずか、前よりも容易に想像することができた——小さな町、昔通っていた小学校の教室に戻ったときに似た驚きを覚えずにはいられない、小さな小さな町。

そこに戻ったのは何年ぶりかだった。町の住人はいまではほとんどメキシコ系になっていた。店の看板もたいていはスペイン語で書いてあったが、酒場だけはエーデルワイス・タップとかバドワイザー・ラウンジといった名のままだった。僕はディージョとも連絡を取らなくなってしまっていたが、彼が徴兵されたという噂は聞いていた。僕は酒場を一軒ずつまわって、ディージョの歌がジュークボックスにあるかどうか探してみた。でも、ほかには何ひとつ変わっていなかったカルタ・ブランカにさえそれは見つからなかった。僕はあきらめて、カルタ・ブランカで椅子に座って、ジュークボックスから流れる『ククルクク・パロマ』を聴き、埃をかぶった木のブラインドごしに差し込んでくる陽光を見つめながら、帰る前の最後の一杯にと、冷えたビールを飲んでいた。やがてジュークボックスが鳴りやみ、開け放しのドアの向こうから三つの教会の鐘が時を告げるのが聞こえてきた。三つの鐘はぴったりとは合っていなくて、たがいのエコーのように少しずつずれて鳴った。まだ会社も学校もひける時間ではなく、通りは空っぽだった。重なりあう鐘の音を聴いているうちに、僕は自分がよく見た夢のことを思い出した。それはジギーの夢みたいに預言者的な夢ではなかったけれど、それでもすごく恐ろしい夢だった。その夢のなかで、僕は昔住んでいた町に戻っていたが、何もかもが見慣れているようにも、まるで見たことがないようにも思えて、自分がどこにいるのかもはっきりしなかった。そして僕にはわかっていた。もし駆け出そうとしたら僕の足は鉛のように重たいだろうし、歩道から車道に踏み出そうものなら何もない空間に墜落してしまうだろうと。それから、夢のなかで僕は、鐘の音が次第に弱まり陽の光が差し込むカルタ・ブランカのような、時間の止まった、安らいだ街角にたどり着き、ほんのつかの間、自分が公認陽気《ブライズ》地域に迷い込んだような思いを覚えるのだった。

アウトテイクス

案内係はクレジットを目で追い、自分の名前を探す。

彼の仕事は、静粛。

だがいつの日か、物語は伝説となるだろう——彼がいかにして発見されたかの物語。どこにでもいる、街をほっつき回る子供だった彼が、工場が焼け落ちるのを眺めている。災害が引き寄せる、ほとんど顔というものをもたない、あんぐり口を開けて見物している野次馬の群れのなかから、映画館の支配人が彼を発見したのだ。あれだけ大勢の野次馬のうちで、放火魔の後光がさしているのはお前一人だったのさ。白黒の夜に燃えたぎる炎が、お前の顔をテクニカラーに浮かび上がらせていたのさ——あとで彼にそう説明したのも映画館の支配人だった。

その時には黙っていたけれども、彼は人からそんなふうにドラマチックに話しかけられることに慣れていなかった。

「小僧、お前にはどこか特別なところがある。明日の朝、十一時きっかりに劇場に来なさい。昼の《マチ》回《ネー》からやってもらおう」

それで決まりだった。実に簡単な話。

「バグズ・バニーは好きか、小僧？」

「うん、バグズ好きだよ」

「バグズか、ふうむ、ファースト・ネームで呼びあう仲ってわけか。そういう図々しいところが気に入ったぞ、小僧。お前はきっと物になる」

彼は電気の薔薇のように光る懐中電灯を与えられた。案内係のロッカーも開けてもらった。そこに栗色の制服が掛かっていた——肩章と金モールのついた、ミスター・クリスチャンを演じたマーロン・ブランドが着ていたような上着。こうして彼は、夜の海軍の一等航海士となった。まるで自分が火をつけたみたいな顔をして火事を眺めていた少年が。いままで彼が演じた役柄といえば、教会の侍祭、新聞少年、そしてミッキー・ルーニーあたりが演じそうな百パーセントのアメリカン・ボーイだった。

彼はポップコーンをそっと踏むことを教わった。映写機から出てくる光線を肉体がけっして遮らぬよう、サウンドトラックの音楽のように透明な影になることを教わった。

恋人たちのあいだを滑るように通り抜けることも教わった。二階席から、たったひとつの夢を夢見つづける観客たちを越えて飛ぶ、大胆きわまりないスワン・ダイブも教わったし——フレッド・アステアとターザンを足して二で割ったみたいなやつだ——人々を包む恍惚の上空を滑走しながら空席を探すことも教わった。

こうして彼は夜行性となった。みずからは銀幕から追放された身であることを知りつつ、カットされたフィルム《アウトテイクス》と同じように映画の一部分でありつづける、知られざる集団の一員となったのである。

Outtakes

アウトテイクス

珠玉の一作

この年のフェスティバル最大の目玉という噂の映画が、ついに上映される。

それはクレジットなしではじまり、最初のショットから観客を挑発する。白黒で撮られているというだけでなく、その白と黒とが取り結ぶ関係が、普通の白黒とはまるで違っている。灰色もほとんどない。当たり前の光が、シマウマみたいにエキゾチックに見える。

もしかしたら、この映画が作られた国では、白とか黒とかいった抽象的還元物とはなじみが薄いのかもしれない。その国ではバニラアイスクリームでさえ緑がかった明るい青となり、黒飴も陽にかざすとほとんど紫水晶色になるのだ。いかに抑圧的な専制が敷かれていようと、一日一日が、原始的絵画の生気とともに躍動している——たえまない祝祭！　救急車がサイレンを鳴らしながら、カメレオンの迅速さでもってめまぐるしく色彩を変える。海を背にガラスの壁画を据えたような近代的病院のなか、天井のファンが、きびきびとリズミカルに働く看護婦たちの上で、串刺しにされたフラミンゴの羽根のように振動する。

白黒はこの緯度には元来存在しない。灰色にしても、アントワープかニューカッスル、もしくはピッツバーグかウラジオストックの、どんよりと不透明な大気を必要とする。産業革命を、自由放任政策を必要とする。帝国主義、七か年計画、大躍進政策を必要とする。大気汚染を、冷戦を、放射性降下物を、PCBを、疎外を……

あるいはまた、この映画は、フリッツ・ラング、キング・ヴィダー、オーソン・ウェルズらの古典的白黒映画をふまえているようにも見えない。四〇年代の社会派リアリズムや、五〇年代のネオレアリズモを意識しているふうでもない。実際、ただひとつ明示された影響源にしても、間接的なものにすぎない。その影響源とは、ヴィクター・ガズマンによる難解な一編の詩である。故ガズマンは、チルパンシンゴに住むシュールレアリスト歯科医であった。

たとえば、木々は、目もくらむように白い。しばしばお目にかかる、死にゆく空に刻みつけられた闇なんかではない。

影も白い。

果実も白い。

アスファルトの道路も白い。

黒いのは、窓である。そして我々は、黒い窓を通してそれら白いものたちを眺めるのである。石油の煤で黒ずんだのか、秘密を守るため、もしくは空襲の灯火管制のために靴墨を塗りたくったのか、そのあたりは何とも言えない。

時おり映画は、ほとんどネガに似てくる。月は硝酸銀の夜に浮かぶ煤けたゼロだ。もっとも、ネガ的に撮る手法の使い方には、ある種の抑制が感じられる。明らかに、この映画を作った連中は、ただ単に明度を反転させる以上のことを目指しているのである。

たとえば雲。白子のような真昼の空に浮かぶ、ふわふわした、乳濁性の黒。だがそれはほんとうに雲だろうか？　燃えさかる村からのぼる煙ではないのか？　爆弾ではないのか、噴火する火山では？

また、あるシークェンスでは――処刑シーンである――弾をダムダム弾にするため弾頭に×を刻みつける場面のクロースアップがある。銃弾は白。やがて、小麦袋のフードが囚人たちの頭から取り去られると、傷口も白である。修道院の穴だらけの壁にそって、カメラがパン。遠方に、無煙炭を頂上にかぶった山々が浮かび上がる。要するに、黒は白の領域を定めるべく使われているのではない。その逆も同じ。

はじめての色は、ほとんど気づかれずに過ぎてしまう。

刑務所の漂白された影のなかで身づくろいをしている猫の、ピンク色のタオルのような舌。

ほとんど気づかれずに――が、なかば無意識のショックが劇場内を貫く。

やがて、次第に、色を帯びているのは舌であること、舌だけであることが、明らかになってくる。車の流れが立てる埃のなかで喘ぐ犬。下水管から滑るように出てくる蛇やヤモリ。千もの小さな穴から、色が舐め、突っつく。

普通なら色のない舌まで、あざやかな色を帯びる。蝶の口の黒い管が、紺碧の空の色となって、花めがけてするする伸びていく。さっき食べた食物を反芻する牛が、にわかに紅色となった舌をだらんと垂らす。そのかたわらで、黒いジープがけたたましい音を立てて白雪のハイウェイを走り去り、奥地に消えてゆく。

奥地では、ゲリラが急襲され、包囲され、裏切られたあとである。ＣＩＡから派遣された指導者たちを降ろすヘリコプターが、椰子の葉を押しつぶす。カメラが、反乱者たちの顔に、マクロレンズの超クロースアップでパン。まるで、汗の玉に混じって膨らむ腫物なりシラミなりによって、その人間の個性を伝えんとするかのような撮り方。ホクロから飛び出た白い毛や、無精ひげの下に残る幼少時の痣《あざ》から、その人物の過去が明らかになるはずだと言わんばかりの撮り方。

このあたりから、カメラは憑かれたようにさまざまな舌を追いはじめる。そしてこのあたりから、甲高い鳥の声、銃声、叫び声、機械の音などの現実音に混じって、ガズマンの『笑気』の一節が祈禱のように囁かれる――金粉の舌、大地を食べる黄土色の舌、歩く舌、キャンディの舌、ミルクのような舌、眠る者の舌、情熱の舌、潰瘍を病む舌、黄色く染まった舌、燃えさかる舌、すぐそこに見えかけた啓示の舌……

画面はいまやほとんど舌のテクニカラーである。

神経ガスの缶が爆発する。

それから、『アルジェの戦い』以来のすさまじさの、何とも耐えがたいシークェンスにおいて、ゲリラたちが捕らえられる。現代の軍事国家における拷問を映し出すシーンがいくつもつづく。自白の強要に家畜用の突き棒が使われ、瞼と舌と性器に電極がテープで止められる。

夜になり、黒い焚き火のかたわらで、番兵たちが酒盛りをはじめる。じきに彼らは、電気による洗練された拷問に飽きたらなくなる。拳骨、棍棒、空壜、ブーツが骨を打ちのめす。

囚人たちは沈黙を守りつづける。

明け方近く、酔いの憤怒に駆られた番兵たちは、囚人を一人ずつ連れ出し、そんなに黙っていたけりゃこうしてやるとばかり、その舌をペンチで引き抜く。囚人は力づくでひざまずかされ、口を木の棒でこじ開けられて、舌をもぎ取られる。悲鳴が上がり、濃い色の血がほとばしり出る――青、緑、黄、オレンジ、スミレ色、赤の舌。それらの舌が、時に耳がそうされるように、コーヒーの缶に集められ、大佐の机の上に置かれる。新たな犠牲者は、その缶を凝視しながら、一人ずつ最後の尋問を受ける。舌たちは缶からあふれ出て、床にこぼれ落ちる。番兵たちは酔いつぶれる。彼ら自身の舌が、いびきを立てる顎から飛び出している。

「ラズベリーの舌」とガズマンは書いた。「道化師のはらわた」

観客は何も言わずに、茫然と見つめている。顔をそむけた者も何人かいる。ぎょっと息を呑む音も聞こえる。けれども、全体としては、スクリーン上でこのような残虐を見せられることに、人々は慣れっこになっている。それを期待するようにさえなっている。舞踏にも似たペキンパーのスローモーションにおいて、血がほとばしり、四肢が切断されるのを彼らは見てきた。壁一面に飛び散る脳味噌、破裂する人体、燃え上がるガソリンに包まれて崩れ落ちる修道士、えぐり取られる目玉、骨を切り進む電気鋸、刎ねられる首、そういったものをさんざん、３Ｄ画面で見てきたのだ。検閲するためではなく、見分けるために人々はこのフェスティバルに来ている。どこでは暴力がひとつの発言たりえているか、どこでは単なる暴力のさらなる濫用にすぎないか？　芸術はいつ暴力のポルノグラフィーに堕すのか？　この作品はいわゆる「残虐映画」なのか？

翌朝になり、若い兵士が一人、昨夜の暴虐の後始末を命じられる。兵士はコーヒーの缶を埋めに、大寺院の裏手の古い墓地に持っていく。切れぎれにひゅうひゅう吹く風と、カモメの声に混じって、寺院の鐘が鳴る。兵士のシャベルが土を噛む。昇りゆく太陽のぼやけた目玉めがけて、肩ごしに土を放り投げるごとに、兵士の息づかいがだんだん荒くなっていく。兵士は汗まみれだ。呼吸はやがて喘ぎになり、ついには息が詰まって兵士はむせかえる。兵士は突然、体を二つに折り曲げて、穴のなかに反吐《へど》を吐く。痙攣の合間に、主の祈りを口ごもりながら。なおも息をぜいぜい言わせたまま、兵士は立ち上がり、缶を穴のなかに蹴り落として、猛烈な勢いで土をかぶせ、シャベルの背で叩いて平らにする。蛇でも殺すみたいに、雨あられとひっぱたく。

サウンドトラックが切れる。

ばんというシャベルの音が最後の音である。だがスクリーンでは、兵士はなおも大地を叩きつづけている。

いまやスクリーンは、いっそう救いのない白黒となったように見える。背景でギターをかき鳴らす音もなく、山笛の音も、鳥の声も、風の音も、遠い雷鳴のような銃声もない。他国へ向かうジェット機の避けがたい轟音が頭上に響くこともない。動きある世界が、にわかに、グリフィスにおける疾走するクー・クラックス・クラン、月へ飛翔するメリエス、あるいはステッキを振り回すチャップリンと同じ、無声の世界と化したのである。沈黙に包まれた館内に聞こえるのは、映写室からかすかに洩れてくる、スプロケットの立てる、メトロノームのような、ほとんど意識下の音だけ。が、沈黙がつづくなかで、かたかたという執拗な音は、次第に耳障りになってくる。実はその響きもほかならぬサウンドトラックから出ているのではないかという疑念さえ湧いてくる。その音のあまりの頼りなさに、ひょっとするとそれは、意図的に、はるか昔の夕べを喚起するよう仕組まれた音ではあるまいかという気もしてくる——夕食の食器が片付けられたのち、監督役の父親がブリキのようなスプールのついた映写機をセットするかたわら、子供たちは壁から絵を外してスクリーンをあつらえる。やがて明かりが消され、ホームムービーの光線が心もとない焦点を結ぶ。サイレント、無編集のフィルムが、家族一人ひとりのわざとらしい表情を映し出す。どの顔も、記憶より不細工だ。どの顔も、かつての姿で現われ、はっとするほど若く、時間に汚されていない。

字幕が現われる。速すぎて読めない。部分的に電送されたメッセージ。一個の単語、もしくは単語の一部が、一瞬ぱっとスクリーンに浮かぶ——AWE DIS KER。

言葉と同じくらい動きのない、ストップモーションの連続。色の滲《にじ》んだタブロイド写真が、目まぐるしくディゾルブしては次の写真につながる。市場へ向かう百姓。スラムの子供たち。佝僂《くる》病の子供たち。イチゴ腫を病む乞食。青空市場で、汗にまみれて果物を積む人夫たち。背景には、はらわたを抜いた魚の死骸、山と積まれた猿の頭蓋骨、それに観光客。

教会や大学で、あるいは虫の群がる街灯のともった街角で、人々が語ろうとして口を開けている。だがどこでも、口たちは、黒い、ぽっかり開いた空洞でしかない。あるのは持続する沈黙と、ディゾルブするインターカットと、ぱっと現われては消える字幕だけ——それが、時には消えかけたネオンサインのように、時にはコラージュのように、画面にコメントを加える（自由の、、、言葉がない世界では、、、、口を血で満たせ）。

画面の転換はどんどん速まり、像もぼやけてくる。それはまるで、ぐんぐん速度を増している列車から撮ったドキュメンタリーのようだ――暗殺、爆破された自動車の行列、爆破されたレストラン、爆破された学校、ストライキ、群衆に向けて発砲する兵士たち、燻《くすぶ》る死体、喪に服す母親たち、黒い棺桶、黒い旗、学生たちの反乱、軍隊の反乱、黒シャツ党員に荒らされる新聞社のオフィス、叩き壊される印刷機、暴徒、火事、議事堂の窓から砕け落ちたガラスが散乱する路上に投げ出され街灯に吊るされてリンチを受ける男たち、破壊された図書館の蔵書が散らばった路上。その間ずっと、地下から音が立ちのぼる。あたかもスプロケットのかたかたが、轟音とともにトンネルを駆け抜ける地下鉄の列車に変貌したかのごとき音。ブレーキシューが線路から金属をこそぎ取り、金属同士がぶつかり合う金切り声がサイレンのようなピッチに高まる（絞首刑に処された者でさえ突き出すべき舌はない！）

館内の照明が点灯する。観客は、その多くは北アメリカ人だが、みな呆然としている。自分がまだ喋れることを確かめようとするみたいに、言葉を口に出してみる者もいる。すすり泣く者もいる。罵りの文句を吐いて場内を去る者も――何を罵っているのか？ 映画を？ 圧制者を？ よくわからない。二階席で誰かが「ブラボー！」と叫ぶ。そして一階席でも「革命万歳！」。人々は座席から立ち上がり、生のステージのように拍手喝采を浴びせる。

「映画に対する究極的な賛辞は」ロビーへ向かう途中、ある批評家がこう語るのが聞かれた。「それをあたかも、カーテンコールに値する演劇のように遇することだ。セルロイドの映像を、血の通う肉体と混同することだ。無心の喝采において集団と一体化し、映画館という場につきまとう、孤立した個人が見る夢としての状況を超越することなのだ」

翌日、新聞の文化欄に絶賛が並ぶだろう。「前衛的な技法とドキュメンタリーの感性が、斬新で大胆なかたちに融合している……」

『ボイス』の評者はこう書くだろう。「妥協を排した力強さを有する作品であり、是非とも観られねばならない。もっともこのような作品は、あるいは秘密にしておくべきかもしれない——ハリウッドの魅惑や巨大な宣伝システムといった、実質を売れる形式におとしめてしまう、恥ずべきアメリカ的傾向の悪影響から遠ざけておくべきかもしれないのである」

また、もう少し保守的な新聞に寄稿した評者は、次のように述べるだろう。「テロリスト・シネマ本年度の目玉といった趣。しばしばお目にかかる、意識の変革を導くようでいて、実のところ、六〇年代をつき動かしていた市民権運動や平和行進の切実さなどとは無縁の代物」

観客は鏡張りのロビーをぞろぞろと出口に向かう。スターたちのポスターに背を向けて歩き、ひさしの照明が点滅する戸外に出て、ピンク色に燻る黄昏に目をすぼめる。彼らの背後で、照明の点いた館内の銀幕上に、最後の一ショットが、テレビ画面のゴーストのように浮かんでいる。口のなかにカメラを入れたとしか考えられない、著しく拡大された像——藍色の舌がもぞもぞ動き、金をかぶせた奥歯にはさまったポップコーンのかすを取ろうとしている。

そして、この画面の上に、遅ればせのクレジットが流れる。出演、脚本、撮影、助監督、監督、製作、編集、音響、音楽、メーキャップ、照明、兵士、将校、将軍、政治家——何千というキャスト

――労働者、学生、農民、観客、犠牲者、不具となった負傷者、狂気に陥った者、死者たちの無数の名。

Bijou

迷子たち

年じゅう猫とスパーリングをやっているせいで、彼女の手はいつもすり傷だらけだった。僕はよく、どこかで拾った雑種犬を彼女が散歩させているのを眺めたものだ。あたしは男を見つけるのとおんなじように犬を見つけるのよ、と彼女は言っていた。

何年ものあいだ、彼女は自分の家を、つぎつぎに現われる迷子たちに開放していた。カゴにとじ込めたりはしなかった。犬、猫、兎、鳥、何であれ、彼女の生活から自由に出たり入ったりさせていた。

彼女はつねに何らかの鳥を看病しているように思えた。回復途上の鳩が戻ってきては、とうもろこしの硬い粒がまいてある玄関口のひさしを寝ぐらにして、クークー鳴いていた。

「ムクドリはどうしてもだめね」と彼女は言った。「ムクドリはどうやっても治せないのよ」

そこらじゅうにソーサーが置いてあった。そのいくつかにはミルクがへばりついていた。汚い雨水をなみなみと入れたのもあった。彼女は雨の治癒力を信じていたのだ。

「あたしは絶対に名前をつけないの。人間には動物の名前なんてわからないもの。名前っていうのは、人間が匂いの代わりに使うものなのよ」

Strays

夜鷹《ナイトホークス》

影絵

　雨で横丁は川になった。空缶の早瀬がからからと流れ、段ボールの浮氷が漂う川。そんな晩、少年は稲光のヘッドライトで目をさました。狭い寝室の壁に、光のしぶきがはねかかる。少年は横になったまま雨だれの音に耳を澄ます。単調なその音が、ガレージのドアの上にともる青い電球の金属フードをとんとんと打つ。しばらくして少年は窓辺に行き、下を見る。

　電灯のせいで、雨は青っぽいきらめきを帯びていた。朽ちかけた雨どいが、場違いの噴水のように奔流を吐き出した。タール紙の屋根から水があふれ、屋根ごと傾いて見えた。非常口を水路に、屋根は滝のような激流を落下させていた。

　横丁の入口で、街灯がゆらめき、下水溝の渦巻のなかにゆっくりと呑み込まれていった。その向こうの、街灯の光も届かない、名前も番号も洗い流されてしまった通りで、影たちが雨のなかをあてもなくうろついていた。今夜、彼らは襟を立てていた。横丁の入口を彼らが通りかかるのが、少年にも切れぎれに見えた。見えないときでも、彼らの存在を感じることができた。少年が影絵《シルエット》と呼んでいる、さまざまなかたち。影を投げる影たち。夢から盗んできた、夜の時なき時に彼らは住んでいる。それは少年にとって、自分がなぜ目ざめたのかを思案するだけの目的で目ざめさせられたように思える時間だ。いつごろから彼らの存在に気づくようになったのか、いつごろから彼らのことを影絵と考えるようになったのか、少年には思い出せなかった。彼らのことを、影絵以外の何か——幽霊とか、妖精とか——として考えたことは一度もなかった。影絵というだけで、少年に取り憑くには充分だった。

ほかの連中も、影たちを呼ぶのにそれぞれ自分なりの名前を持っていた。一階に住む、バイオリンを弾くウクライナ人の子供は、死者を寄せつけぬよう、両腕を十字架のかたちに交叉させて眠った。向かいのアパートの地下室では、プエルトリコ人の女の子が、たんすの上の聖処女の絵をゆらゆらと照らす常灯明の前で、物乞いでもするような姿勢でお祈りをしていた。そのせいで時おり、煉獄に通じる暖炉の火格子から漂ってくる匂いがすうっと薄まり、かすかな薔薇の香りに変わった。学校へ行くときは靴下の内側にナイフをテープで止めておき、夜寝るときはいまもベッドの隅で眠って自分の守護天使に場所を空けておく若者たちもいた。マスカラを仮面みたいに塗りたくり、ニーニャを見たわ、ほんとよ、と断言する娘たちもいた。ニーニャはある夏の晩に屋上から飛び降りた美しい女子高校生だった。その晩彼女は、ボーイフレンドのチョコ、コンガの上手い、彼女に会うため軍隊を脱走してきたチョコと示しあわせて家を抜け出したのだった。コンガをストラップで肩に止めたチョコに連れられて、ニーニャは非常口をのぼり、屋上まで上がった。脱走以来、チョコは屋上にマットレスを敷いて寝ていた。二人は天使の粉［麻薬として使われる鎮静剤］を喫った。それで、月が屋上から飛び乗れそうなくらい近くに見えてきたのだ。月の出る夜は音楽で目がさめるのよ、と娘たちは言った。その歌のビートには誰しも聞き覚えがあった。でも誰一人、そのメロディをハミングし返すことはできなかった。そして娘たちはニーニャの幻影を見た。髪をなびかせ、ブラウスを大きくふくらませたニーニャが、彼女たちの部屋の窓の前を落ちていく。その落ち方はひどくゆっくりで、地面まで落ちるには永遠の時間が必要なように思えた。

真っ昼間にも亡霊はいた。きいきい音を立てる砥石を押して横丁を練り歩く、口のきけない包丁研ぎ。目隠しをつけた馬を洗濯ロープで鞭打つ行商人。その荷車が、地下の物置や屋根裏部屋からかき集めたガラクタの重荷につぶれそうになりながら、よたよたと進んでいく。生まれてから一度も切ったことのない髪の重みに耐えかねたのか、すっかり腰の曲がってしまった体で歩く傴僂《せむし》の女。低く垂れた頭から、灰色の汚らしい髪が流れ落ち、目の前の舗道を掃く。

彼らは街そのものの一部に見えた。彼らに気づいた人がいたとしても、すぐに目をそらすだけだった。でも少年は彼らのことを、残酷なおとぎ話から逃げてきて普通の世界を手探りで進む人々でも眺めるように、ひそかに見守っていた。夜になったらあの人たちはどこに消えるんだろう、どこで眠るんだろう、と少年は考えた。どんな夢を見るんだろう。

昼間の亡霊に較べると、影絵たちは、夜によってカムフラージュされた、ほとんど不可視の存在のように思えた。もともとは何かの影であったとしても、その何かとのつながりを断ち切ってしまった影たち。いまではもう、夢を見ている人間から逃げ出した夢のように、あたりを自由にさまよっている。ガード下から霧が吐き出され、マンホールのふたが湯気を立てる晩に、彼らはガード下から出てきた。水滴のしたたる玄関口に彼らが立つと、玄関はそれだけ暗くなった。開けた空間に出ると――影として、でももう壁に支えられることもなく、舗道に沿って伸びることもない影として――街灯の光や店の看板の照明を斜めによぎる雨が、融解した電気のように彼らの体表で弾けて玉となった。近づいてくるヘッドライトが、彼らをよけて折れ曲がった。稲妻の閃光が彼らの輪郭をなぞった。彼らが通りを歩くのを、少年は感じることができた。今夜こそ僕が呼ばれた夜なんだろうか、と少年は考えた。今夜こそついに、影絵たちが横丁をこっちへやって来て、渦を描いて沈んでゆく守護天使の街灯を過ぎて、僕の部屋の下に集まり、ギターの真ん中みたいに闇に向かって開かれた目と口をこっちへ向けて、雨の打ちつける窓ガラスに顔をくっつけている僕を見上げるのだろうか。

恋人よ、今夜はすごい夜だ。流れる水の縞模様に飾られた夜は、百万もの水漏れに貫かれ、もう二度と元に戻りそうにない。君がいないこと、そのことが投げる影に似たかたちの夜。あらゆるひびから水は流れ出し、あらゆる張出しからしたたり落ちる。夜鷹たちの叫びは、いまや雨がはねる音にとって代わられた。街灯の高みから雨は落ちる。一滴一滴が、それ自身の青い電球を含んでいる。

笑い

僕は眠りながら笑い声を上げる女の子を知っていた。彼女はアメリカに来てまだ一年にしかなっていなかった。外国人だということが、そんなふうに笑うことと何か関係があるんじゃないだろうか、と僕は考えた。彼女の瞳は緑色で、金色の斑点がついていた。どっちかというと人より猫に似あう色だ。瞳を囲む睫毛は、僕がそれまで出会った誰の睫毛よりも長かった。ある角度から光が当たると、なかば伏せたその睫毛が、顔に小さな影を投げかけた。彼女はまだアメリカ人らしく見えなかった。あるとき僕は、寝ている彼女を起こして、何がそんなに可笑《おか》しいんだい、と訊いてみた。彼女は困ったみたいな、ちょっと気まずいような顔になった。僕はそれきり二度と訊かなかった。

僕たちはアイスクリーム工場で知りあった。高校から大学へ上がるあいだの夏休みに、僕はそこでアルバイトをしたのだ。彼女は僕がはじめて本気になった女の子だった。本気になるには僕はまだ若すぎる、という気持ちもあった。でもその気持ちを、僕は内緒にしていた。

彼女は僕のことを、タッソス叔父さんに内緒にしていた。

タッソス叔父さんというのは彼女をアメリカに呼んでくれた人で、アイスクリーム工場での仕事を見つけてくれたのもこの叔父さんだった。やはりたいていは外国人の女たちと一緒に、彼女は流れ作業の仕事をしていた。コンベヤーベルトの前に座って、ポプシクルやファジシクルやクリームシクルやドリームシクルを冷凍用の箱に詰めるのだ。一日が終わると、彼女の手は寒さに縮こまっていた。指はその日に流れていたフレイバーの色に染まっていた。

タッソス叔父さんはキャルメット港から出る鉱石船で働いていた。二週間仕事に出ていて、帰ってくると五日間休みを取るのだ。叔父さんが帰っているあいだは、工場でしか彼女に会えなかった。僕はまだ両親と一緒に住んでいた。彼女を連れて来られる自分の場所がないことが、だんだん恥ずかしく思えてきた。タッソス叔父さんが海に出ると、船はペトスキー［ミシガン湖沿岸の都市］あたりまで行く。そうなってしまえば、もうペロポンネソスまで出たも同然だった。彼女はハルステッド・ストリートに面した一部屋のアパートに、僕を引っぱり込んだ。

そこは古い町だった。選挙公約とは裏腹に、デイリー市長は新しい大学を作るために町全体を取り壊す計画を練っている最中だった。でもその夏はまだ、いままでどおりの生活がつづいていた。見慣れないアルファベットで印刷された新聞。街頭で売っている木の実やチーズや鱈の干物。レモンシャーベットを作るパン屋から漂ってくる、潰したレモンの匂い。階下のレストランから聞こえるにぎやかなギリシャ音楽。いったん彼女のアパートに入れてもらうと、僕は朝まで帰らなかった。でも時どき、真夜中に、暗くなった部屋に笑い声があふれると、起き上がって室内を歩きまわらずにはいられないこともあった。

何もかも

彼がジョーンと結婚して二月ばかり経って、真夜中に電話が鳴った。電話は台所にあって、まるで警報のようにアパートの闇を貫いて鳴った。彼は昔から、こういう時間にかかってくる電話が苦手だった。何か恐ろしいことがあったんじゃないか、と怖くなってしまうのだ。そして、自分が電話に出さえしなければ、その恐ろしいことが何であれ朝には元通りになるかもしれない、と半分本気で信じていた。でもその夜、彼は飛んでいって電話に出た。結婚したての妻が出て、しくしく泣き出すのを聞くくらいなら、自分でじかに知らせを聞いたほうがましだ。

「もしもし」と彼は冷静を装って言った。

「イエロー。誰だかわかる?」

「わかるよ」

「何の用だかわかる?」

「降参」

「あたしね、ＭＤＡ［幻覚剤の一種］でトリップしてんのよ」

「ふうん」

「『エクスタシー』よ、ほら、『ラブ・ドラッグ』ってやつ。どうしたの？　あんた『ニューズウィーク』とか読んでないの？」

「定期購読が切れちゃってね」

「ぐっと来るのよ。ものすごくエロチックなの。あたし、すっかりその気になっちゃってるのよ。もう狂っちゃいそう」

「わざわざ知らせてくれてありがとう」

「これって記憶も高まるのよ。ねえ、あたし、いまでもあんたにちょっと惚れてんのよ。いまトイレの水を流したのはジョーン？」

「ああ」

「誰からの電話だか、気にしてるんじゃないかしら？」

「まさにそのとおり」

「だからあんた、そんな変てこなのっぺりした喋り方してんのね。すごく静かにさ。あたしの名前も言わないし。あんた、前はそんなふうにぼそぼそ喋るタイプじゃなかったわよね。ねえ、少しは何か言いなさいよ」

「たとえば？」

「たとえば、あんたいま何を着てる？　キュートなシアサッカーのパジャマ？」

「ねえ、もう電話を切るべきだと思うよ」

「あのね、トリップしてる人間の話はとことん聞いてあげるもんよ。あたし、ひょっとしてこっちですごくやばいことになってるかもしれないじゃない。ねえ、マッシュルームを一緒にやったときのこと覚えてる？　あたしがクレオパトラに変身したって、あんたが言ってくれた夜のこと。ありゃあ最高だったって、あんた言ったわ」

「おいおい、あのころはまだ大学生だったんだぜ」

「もう一度ああいうのをやってみようと思ったのよ。ほら、ベイシーの『四月のパリ』の終わりでさ、みんなで叫ぶじゃない、『もう一度！《ワン・モア・タイム》』って。ああいう感じよ、過ぎし日々に乾杯ってやつ。あのころのほうが自分を好きになれたわ。あんたもあのころのほうが素敵だったしね」

「いいかい、僕のほうから切りたくないんだよ、わかるだろ」

「あんたって昔からそうだったわよね。ねえ、あたしがいま何を着てると思う？　この電話の反対側でさ、あたしがどんな格好してるか、当ててごらんなさいよ。ねえいい、受話器を体にこすりつけるわよ。よおく聞いててよ……聞こえた？」

「聞こえない」

「ねえ、耳をちゃんと受話器にくっつけてよ。これでも聞こえない？　ヘアの音、しなかった？　あんたいま、あたしの体のどの部分と話してると思う？　何か言ってよ、ソフトな感じで、はあはあ息しながら。受話器にあったかい息を吹きかけてよ。すごく息の荒い人間になったふりしてみてよ」

「もう遅い時間だよ。君、寝たほうがいいぜ」

「こっちに来てよ」

「無理だよ」

「ベイビー、会いに来てよ。ジョーンにはさ、友だちの車がパンクしちゃってとか何とか言えばいいじゃない」

「無理だね」

「ベイビー、ああ、ベイビー、ベイビー、ベイビー、ベイビー、今夜はすごくあんたが欲しいのよ。ベイビーお願い、あたしのパンクを直してよ」

「もう午前三時だぜ」

「お願い。あたしにこんなこと言わせないで。会いに来てよ……二人で何、も、か、も、全部やろうよ」

「僕の前に何人に電話したんだ?」

「一人だけよ」

時間つぶし

面接の合い間に、僕は美術館をぶらぶらして時間をつぶした。美術館はミシガン・アベニューの公園側にあって、就職斡旋所が集まっている高層ビルとは道路をはさんで反対側だった。絵画が並ぶ館内をぶらついていると気分も和んだし、何枚かの絵などは昔からの友だちみたいに思えてきた。そういう絵を見にいくほうが、午後の半日、例によって、脂っぽいスプーンを突っ込んだ生ぬるいコーヒーを前に座り、求人広告を熟読し、それも済んでしまうと、同じようにカウンターに並んでそれぞれのコーヒーを抱え陰気な顔で求人広告を熟読している連中の顔を眺めているより、はるかにましだった。いまではもう、いたるところでそういう連中の姿が僕の目に入ってくるようになっていた。求人広告で武装した、見えない軍隊の存在に僕は気づきはじめていた。兵士たちは街を練り歩き、チャンスがドアを開けてくれることを期待して、ノックしてまわっているのだ。それは連帯感の慰めを持たない軍隊だった。軍の無意識の敬礼、軍服、階級もだんだん呑み込めてきた。そしてその軍事基地も――人事課、コーヒーショップ、電話ボックス。それらの地点において、孤独な軍事行動が展開されるのだ。仕事を探しはじめてもう一か月以上が経っていた。僕は絶望に陥りかけていた。

美術館は僕の作戦本部だった。公衆電話もたいてい空《あ》いていたし、綺麗で新しいトイレには大きな鏡もあって、面接に行く前の最終点検にうってつけだった。

　仕事を探しはじめて最初の二週間ばかり、僕は町の図書館にたむろしていた。美術館と違って、図書館は入場も無料である。でも、職探しが長びくにつれて、だんだんと、かつて味わった暗澹たる気分がよみがえってきた。それは高校のころの侘しい記憶だった。毎週土曜日になると、僕は救いがたく遅れているレポートのカードをどっさり抱えて図書館に入り、館内をうろうろしているうちにいずれ迷子になってしまい、結局いつも一日を無駄にしてしまうのだった。高校に上がる前の夏のことも覚えていた。父親に命じられて、まる一週間を図書館で過ごすことになったのだ。目的は、さまざまな職業を研究し、功成り遂げた人々の生涯を調べること。高校に入ってから目標らしきものを持てるように、というのが父親の狙いだった。父が僕につけたあだ名――夢想家《ドリーマー》――のままでは困る、というわけだ。言われたとおりのことを実行する代わりに、図書館へ行くふりだけして、もらったお金を映画やレコードに使ってしまったことも僕は覚えていた。そしていま、父の恐ろしい予測は現実となりつつあるようだった。金は底をつきはじめている。仕事は見つからない。一週間も図書館でぶらぶらしていると、常連たちの顔も覚えてしまう。全財産を袋に入れて持ち歩いている、あるいは全部身につけている、図書館の書棚に住みついているみたいな連中。そのうちきっと、彼らは僕に目くばせを送ってくるようになるだろう。見たくもない、秘密の挨拶を送ってよこすだろう。

　図書館の公衆電話はいつも混んでいた。古いトイレの、ひびの入った研ぎ出しコンクリート《テラソー》には液体がたまっていた。トイレは宿なしたちのたまり場になっていた。連中はなかで煙草を喫ったり、時には洗面台に栓をして服を洗濯したりしていた。どんなに天気のいい明るい日でも、大理石の廊下や階段の、鼠色の陰気な色合いが目から離れなくなった。緑のシェードつきデスクランプの光が支配する閲覧室は、古い駅のようなくたびれた感じがした。かび臭いパルプの匂い、手垢のついた布表紙の匂い、あまりにも多すぎる印刷物の匂い。細長い閲覧テーブルのあちこちで、居場所をなくした連中、すべてを失った連中が、巨大な書物に鼻をくっつけるようにして、うとうと居眠りをしていた。ぶつぶつと声を出して本を読んでいる連中もいた——まるで、マルクス＝エンゲルス、シュペングラー、トルストイ、ショーペンハウエル等々の全集を相手に議論を戦わせているみたいに。窓の外では、鳩たちがくーくー鳴きながら、乾いて細かくはがれたスレートの窓台の上を行ったり来たりしていた。

それとは対照的に、美術館はまるで光の洪水だった。天窓から降りそそぐ光や、絵画を照らすスポットライトだけではない。秋になると樫や楓の木が燃えるような色を内から放つみたいに、絵画自体も内部から光を発散しているように見えた。僕がいちばん気に入っていたのは印象派の作品だった。職探しに絶望したときなど、印象派の絵の前に立って、それにじっと見入ったものだ。するとそのうち、絵のなかの世界に足を踏み入れられるような気がしてくるのだった。目を閉じて、ふたたび開ければ、僕はゴッホの『アルルの寝室』の赤いベッドカバーの下で目ざめるだろう。あるいは、目を開けるとそこはパステルカラーの光のさす部屋で、僕の隣にはドガの踊り子がいる。僕らはいままで一緒に並んで眠っていたのだ。シュミーズを脱ぎ捨てた彼女は、朝の沐浴をはじめようと湯舟に足を入れかけている。またあるいは、目がさめると僕は、何の悩みもなく、精緻な色合いの日だまりから出たり入ったりしながら、悠然と散歩を楽しんでいる。僕は『グランド・ジャット島』の川べりに遊ぶ日曜の群衆の一員なのだ。僕はどこかよそへ行きたかった。煙に汚れた『サン＝ラザール駅』で、ノルマンディー行きの汽車に乗り込もうとしている黒っぽいしみになりたかった。僕は自分の人生から抜け出す乗車券を求めていた。冬の畑に干し草が積まれた風景に寄りそって走る列車に乗っていたかった。列車は僕を『サン＝タドレス』の浜辺に連れていってくれるかもしれない――そこでは釣り舟が砂浜に引き上げられていて、望遠鏡を持った男が、かたわらに佇む自分の娘と並んで海を眺めている。あるいは『プールヴィル』――崖っぷちの道に風が吹き荒れ、一人の女がオレンジ色のパラソルを開く。眼下の青緑色の海では、白い波頭とさして変わらぬ高さの白い帆が、波に大きく揺れている。

でも僕の絵画めぐりは、いつも決まって、エドワード・ホッパーの『夜ふかしをする人たち《ナイトホークス》』の食堂の前で締めくくられた。たぶん、それら一連の絵画の輝きとバランスを取るために、僕にはその絵の暗さが必要だったのだろう。ホッパーの絵のなかは夜である。食堂は暗い街角を照らし出している。そこから発しているとは思えないほどくっきりした光で。カウンターに、三人の客が座っている。彼らは何かを待っているように見える。何かがはじまるのをではなく、終わるのを。そして僕にはわかっていた。目を開けたら、何の違和感もなく、僕もやはりそこで待っているだろうと。

不眠症

遅かれ早かれ、すべての不眠症患者がいずれは行きつく、終夜営業の食堂がある。冬のあいだ、道端に雪が吹き積もると、不眠症患者たちはさんざ踏みならされた交差点を渡り、やがて自分の靴にぴったり合う足跡に出会って、それに導かれるまま、食堂にたどり着く。夏のあいだの、今夜のような夜には、食堂の一角にともる明かりが、そこ以外は真っ暗なこの街角に、彼らを蛾のように引き寄せる。

彼らは街じゅうからやって来る。街の外からもやって来る。オハイオ、アイオワ、インディアナの農村から、街灯一つない大草原を越えて空っぽの鉄道駅やバスターミナルにたどり着き、そこから、光にあふれたこの街角まで歩いてくるのだ。ここそが、家を出てからずっと探し求めていた場であるかのように——何も質問しない店、いつもかならず開いている店、コーヒー一杯でしばらくのあいだ座っていられる店。

二台並んだニッケルメッキのコーヒー沸かしの大きさからすると、この店では相当な量のコーヒーを出しているにちがいない。にもかかわらず、いま、店はがらんとしている。カウンターの隅で、夜を精一杯引き延ばそうとしている男と女。ちょうどいまは腰を曲げてカップをすすいでいる、金髪のカウンター係レイ。帽子をかぶったまま、窓に背を向けて座っている男。それで全部だ。店は決して混みあわない。人々は順ぐりに入ってきて、順ぐりに出ていく。夜勤の連中、タクシーの運転手、酔っ払い。時には警官も顔を出す。みんなたいていは一人だ。つぎにどんな人間がドアを開けて入ってくるのか、見当もつかない。

さっき、カウンターの丸椅子がほぼ埋まっていたころ、ハイヒールにサマードレスの女が店先に立ちどまって、まるで誰かを探しているみたいに、なかを覗き込んだ。少なくとも最初はそう見えた。でもやがて、女が立ちどまったのは、窓ガラスを鏡代わりに化粧を直すためにすぎないことが判明した。カウンターにいた客の大半は男だった。髪に櫛を通している女を、男たちは見ていないふりをした。女が彼らの存在にまるで気づいていないように見えたので、それをじろじろ眺めるのは、ベッドルームの鏡に向かった女性の姿を覗き見するのも同然に思えたのだ。それでも、あからさまに眺めはしなかったけれど、ガラスの向こう側の男たちは、その女について内心あれこれ考えていた。あのままでも十分綺麗なのに、いったい誰のためにもっと綺麗に見せようとしてるんだろう。それともいままで誰かと一緒にいて、これからまた誰か別の奴のところに行くんだろうか。女が窓の前から立ち去っても、彼女が塗った口紅の鏡像が、あたかもキスマークのように、ガラスの上にそのまま浮かんでいるように思えた。食堂の男たちは、そのキスに対してもやはりそ知らぬふりをした。でもそうやって浮かぶキスは、ある意味では、町の教会にある漆喰のマリア像の頬を流れる涙、一日それを拝もうと人々が何ブロックも行列を作るあの涙と同じくらい大きな奇跡なのだ。女は食堂の投げる光の輪の外に出て、影のような窓が並ぶ街に消えていった。しばらくして、ガラスに映ったキスも消えた。どこに消えていったかはわからない。あっさり闇に溶けてしまったのかもしれない。あるいは何ブロック も先の街角の、電話ボックスのガラスのドアにふたたび現われたかもしれない。そこでは、軍隊を脱走してきたチョコという名の兵士が、あたかもドラッグに酔ったように、悲しみに酔いしれ呆然となって、コンガのなかで体を丸めている。チョコにはほかにどこも行くところがないのだ。ぼうっとした頭で、まるで神託が呼びかけてくるのを待っているみたいに、そこにじっとしている。口紅で塗りたくったイニシャルや、アイブロウで書きとめた電話番号に混じって、ガラスのドアにそのキスが浮かんでも、チョコは気づかない。やがて彼は電話ボックスを叩きはじめる。広げた手のひらが、割れたガラスの上に血まみれの手形を残す。キスはふたたび姿を消す。今度は街の向こう側まで行くのだろうか。地下鉄の、曇った窓に乗って、それとも、赤信号を無視して黒いガラスの並ぶ大通りを疾走するタクシーの窓に乗って……

カウンターの隅で、夜を精一杯引き延ばそうとしている男と女は、前にもここに来たことがある。二人は恋人同士のように並んで座っている。でもその様子にはどこか醒めた感じもあって、赤の他人といっても通りそうなくらいだ。それは、二人がたがいに向きあわずに、それぞれ前方をじっと見ているせいかもしれない。あるいは、カウンターの上に置いた二人の手が、触れているようできわどく触れていないせいかもしれない。でも実は、それもみんな情熱のせいなのだ。無関心のせいではない。今夜、こうして夜も更けてから、二人はうつろな心を抱えてここに迷い込んできた。たがいを想う激しい情熱に眠りも奪われ、いささか疲れてしまった心を抱えて。二人を悩ます不眠症は、欲望の不眠症である。人けのない街並を二人して歩いている最中に、影のような窓が連なるこの町に、月がないことを二人は発見した。そこで彼らは、自分たちで月をでっち上げたのだった――ビリヤード玉のように硬い、半透明の、骨灰磁器《ボーン・チャイナ》みたいに細かいひびが一面に走った月。雲のかかった、乾燥機のなかで転がるブラジャーと同じ漂白された白色の円。そしていま、蛍光灯の光の下、むき出しの女の腕をあまりにあらわに照らし出し、彼女のドレスをバラ色からサーモンピンク、さらには何とも形容しがたいさまざまな色合いの赤に光らせるその光の下で、二人は黙りこくっている。男は煙草を喫っている。女は夢見るような目で紙マッチを眺めている。こんなふうに一緒に時間をつぶした、どこかよその店のマッチを。

そしてレイ。長年ここで働いていて、いまやほとんど店の一部と化している男。制服の白さが、照明の光をいっそうきわだたせている。レイはコーヒー沸かしをぴかぴかに保ち、カウンターをつねに綺麗に拭いておく。金髪の頭にちょこんとかぶった白い紙帽子が、ちょっと気取った角度に曲がっているせいで、どこか子供じみて見える。でもレイはみんなが思っているほど若くはない。愛想は悪くないが、彼が応対する客たちと同じ一匹狼の身の上である。夜中に働くのだから、不眠症に免疫になってもよさそうなものだが、仕事があろうとなかろうと、レイはいつもこの連中と一緒に、ここで起きている。昼間レイが何をしているかは、誰も知らない。仕事が終わると、黒い影のさす、階上の窓の奥に消えていき、カーテンを引く。朝日がカーテンを金色に打つ。通りかかる自動車のせわしない音が、部屋までのぼってくる。もしかするとそれは、不眠症とは別の何かなのかもしれない。横になって、あたかも光を再創造したかのようにわめき立てる子供たちの声に耳を澄ます。夢を見ようとして、結局思い出すだけに終わってしまう。糊みたいに体にへばりつく汚いシーツに包まれて、寝返りを打ち、汗をかく。そうこうするうちに、野球の試合のもわっとした喚声も、次第に蠅がぶんぶんいう音にとって代わられる——局と局のあいだの空っぽの周波数みたいに、小うるさく羽根を鳴らす蠅。影と窓ガラスにはさまれたその姿が、見るみる大きくなっていく。大の大人が、薬壜に入っていた綿で耳に栓をし、アイマスクで目をおおうのは、本当に不眠症なのだろうか？　ぺしゃんこの枕を頭の上にかぶせ、ふたたび夜に目ざめられるよう一日がさっさと焼け落ちますようにと祈るのは？

　窓に背を向けている男は、さっきからずっと、コーヒーのマグを抱えてそこに座っている。腰を曲げてカップをすすいでいるレイは、なるべく男の方を見ないようにしている。男の帽子が顔に影を落とす様子に、どこか会話を禁じるような雰囲気が感じられるのだ。肩もまるで、もう一発パンチが飛んでくるのを待ち構えているみたいに丸まっているし、目はまっすぐ下を向いてコーヒーの深みを貫き通している。口をきこうにも、殺し屋相手に世間話をするようなものだ。それに男は、さっきから一人で何か呟いている。苦すぎて飲み込めないものを噛み砕こうとしているみたいに、口をもぞもぞ動かしている。もし女のことを考えているとすれば、それはきっと、いままでに女たちにだまされた回数を数えているにちがいない。仕事のことを考えているとすれば、いままで仕事を奪われたときに言われた薄情な言葉を並べ上げているのだ——クビ、解雇、免職、人員整理、合理化。男は「職をなくした」の「なくした《ロスト》」にこだわっている。まるで、毎日八時間にわたって流した汗が、どこかに消えてしまうものであるみたいな言い方。奪われたものを、なぜなくしたと言うのか？　なくしたなんて嘘だ。そういう嘘がなかったら、街は暗殺者であふれ返るだろう。けれど、男が飽かず遂行する棚卸し、嘘と恨みのリストアップ、裏切りの点呼、その合計として出てきたのは、不眠症だけだ。それは男が、いまのところ自分自身とだけ取り決めた個人的決済である。不眠症とは、彼自身が行なってきたかずかずの裏切りや、彼自身が招いた挫折や不運や絶望といった無数のシケた罪を償うべく、彼が毎晩服す刑なのだ。そして、それはまた、もろもろのそうした罪よりもっと恐ろしい、いまだ名を与えられていない犯罪の予兆でもある。暗くなると、男はそれをふところに、武器のように隠しもって街を歩く。

そして、最後に、カウンターの空っぽの丸椅子の前に置かれた、空っぽの水飲みグラスは? かたわらにはチップも置いていない。まあどのみち、カウンターに座って水しか注文しない奴なんて、レイ以外は誰も気にかけはしない。夢遊病者が入ってきたことを一目で見抜いたのも、レイだけだ。そういう連中が、ここには時おりふらっと現われる。レイもいまでは、彼らの習性をよく知っている。夢遊病者は水しか注文せず、けっしてチップを置かないのだ。はじめのうちはレイも、言われたとおり水しか出さなかったが、このごろは時どき、店のおごりで彼らにコーヒーを出してやることもある。そうするのが親切心からなのか、残酷さからなのか、自分でもよくわからない。レイとしては親切心からだと考えたい。かりに自分が眠ったまま街をさまようとしたら、誰かに助けてもらえばやはりありがたいだろうから。だがレイにはよくわからない。夢遊病者にちょっかいを出すのは、場合によっては危険だという話も聞いたことがある。魂が肉体から遊離してしまう可能性がある、というのだ。だからレイはいつも、湯気を立てているコーヒーが彼らの唇に触れ、彼らが目ざめる瞬間、かたずを呑んで見守る。

夢遊病者の両眼がごろんと開く。ひどくうろたえた表情で、彼はあたりを見回す。何が起こったのか、わかっていない様子。そもそも、自分が目ざめたことさえ、まだぴんと来ていないかもしれない。コーヒーが唇を火傷させたのと同じように、蛍光灯の光が彼の瞳孔を火傷させる。食堂はあたかも、いつまでも消えない目もくらむフラッシュライトの閃光に凍りついたように見える。ある種の夢がもつ輝きのように明るい、夜という額縁に囲まれているがゆえになおいっそう明るい、ぎらぎら光るむき出しの光。見る者を麻痺させるその輝きのなかで、夢遊病者はカウンターの向こう端に座っている恋人たちを見る。真っ白に漂白された、鷹のような顔だちが二つ、忘我の境地に至ったかのようにじっと前方を凝視している。そして夢遊病者は見届ける。まるで証拠でも湮滅するみたいに、レイがカップをカウンターの下に浸ける瞬間を。さらに、影のような帽子をかぶった、誰にともなくぶつぶつ呟いている殺し屋。呆然としてはいても、夢遊病者は感じとっている。食堂をおおいつくす麻痺が、お前もこの場所の人間なんだと言わんばかりに、彼を引き込みつつあることを。くるっと体を半回転させて、夢遊病者はカウンターから身を引きはがし、丸椅子から立ち上がって、チップも置かずによろよろと出口へ向かう。ドアを押し開けて外に出るその瞬間、何かがぱちんと、彼を完全に目ざめさせる――それは夜の外気かもしれないし、パイがグリルを打つぴしゃっという音かもしれないし、あるいは彼の魂が影のなかから戻ってきたのかもしれない。夢遊病者は食堂の外の、まだその後光の届く領域に立ち、暗い窓の並ぶ街をじっと見つめて、考える。いったい俺はどっちから来たんだろう。どっちへ行ったらいいんだろう。食堂から発する、燐光のような青光りに照らされた人けのない街は、月に舗道を敷いたらこんなふうだろうかという感じに見える。と、居並ぶ屋根の上空に、夢遊病者は、カウンターの端に座った恋人たちが残していった月を発見する。もはや出来立てのぴかぴかではないその月は、食堂と同じ後光に包まれて、犬のように忠実に、恋人たちがふたたび現われるのを待っている。二人がいないあいだに、月はさまざまな変化を経た。タクシーのバックミラーに映る壊れた交通信号のように、だんだんと小さくなってきて、いまや三日月というよりなお細い。真珠の残していく、しみのような指紋でしかない。ブラックコーヒーの表面にきらっと浮かぶネオンに似た、ほんのちっぽけなゆらめき。コーヒーの苦味が、彼の舌をいまなおひりひりさせている。夢遊病者は自分の神経が跳ね上がるのを感じる。心臓がどきどきと速まり出しているのを感じる。まるで、コーヒーをほんの一口すすっただけで、カフェインのスタミナが体内に供給され、彼を夢遊病者から不眠症患者に変えてしまったかのように。食堂の上空から、一羽の夜鷹の叫びが聞こえる。そして突然、幸福感が彼を襲う。眠る者たちが見捨てた暗闇に舞い上がるあの鳥のように目ざめていること――それだけで十分なように思えてくるのだ。光を浴びた四つ角から立ち去り、眠っている者たちが残していってくれた、空っぽの、物音一つしない街を歩くこと。口笛を吹きながら暗い窓の前を通り過ぎ、どこへ行くかも知らず、それを別に知りたいとも思わずにいられること。それで十分じゃないか、そういう気がしてくるのだ。いまは真夜中。明日はまだ九三〇〇万マイルの彼方にあるように思える。

黄金海岸

ホテルの三十七階の部屋で、二人は同時に目をさます。いまが何時なのか、男も女もわからない。二人ともまだ酔いが少し残っている。自分たちのあいだにいつの間にか広がった沈黙に、いくぶんぼうっとしている。

「ねえ見て、あの空! ほら、あの光!」と女は叫ぶ。

男はすでにそれを見ている。どうして見ずにいられよう? 巨大なベッドは、壁一面に広がった窓と向きあっている。カーテンも開けてある。窓が並ぶその壁は、いまやまるで空そのものの壁のようだ。ほぼインディゴ・ブルーの空。貴重な鉱石が掘り出されたばかりの鉱脈のように、虹色の筋が何本も走る空。朝はまだ来ていない。いまはまだ夜の一段階である。だがその夜の蔭で、コバルトミラーのガラスの裏にある銀のように、すでに明日が光り輝いている。

ホテルを取り囲むビルというビルの窓に、空が映っているのが男には見える。地上はるかにそびえ立つビルの連なりは、二人がこうして流れついた黄金海岸のガラスの絶壁をなしている。どの都市にもこういう地域があることを男は知っている。この手の場所を、彼は不信の目で見ている。一見いかにもそれらしいエレガンスをたたえていても、こんな場所は幻影にすぎないと思っている。都市の現実生活からかけ離れた、本当は場所なんかじゃない場所なんだと。川面にきらきら光る泡のように、ぽっかりと宙に浮かぶ鏡像。ティーンエイジャーのころ、友人と二人で、生まれ育った都市の黄金海岸を夜ごと探検したときのことを男は思い出す。自分たちがそれに対して感じた、畏怖と軽蔑の入りまじった気持ちを思い出す。

男はもはや黄金海岸を見下したりはしない。彼は考える。いま何人くらいの人間が、自分と同じように、こんなふうに眠りからさめて身を起こし、空高い部屋のベッドで目をしょぼつかせながら、黙って外を眺めているのだろう。それらの部屋のカーテンは開かれ、おそろしく大きな窓が見えている。ちかちかと光が点滅する都市の地平線をすっぽり包み込むように作られた、巨人のための窓。いまだにすやすや眠っている連中を、男は羨ましく思う。と同時に、そういう連中が、名もない生まれかけのこの空を見逃していること、これまで彼が見たどの夜明けより忘れがたいものになるにちがいないこの空を見逃していることが、気の毒にも思える。この先、どちらの思いがより正しかったことが証明されるだろうか、と男は考える。恋人同士になってまだ間もないころ、女にこう言われたことがある。「あなたに出会ったのは、あたしの生涯で最高にラッキーなことかしら。それとも最高にアンラッキーなことかしら」

そう言われて、男は笑った。

「冗談で言ったんじゃないのよ」と女は言った。

「わかってる」と男は言った。「僕が笑ったのはただ、君に出会ったことについて、僕もまったく同じことを考えていたからだ」

「でしょう。ひょっとして、こういうのを宿命っていうのかもしれないわね。相手が感じていることを、かならず自分も感じてしまうのよ。同時に、一緒に』。女も笑った。

「情念のテレパシーみたいなものかな?」

「『情念』ていうのはちょっと生々しすぎるんじゃないかしら」女は目をくるんと動かし、二人のあいだだけで通じるジョークになっている、相手をいたぶるような口調で言った。「あたしは何も、ホルモンとか分泌腺とか、そんな生々しい話をしているんじゃないのよ。星々にひそむ何ものかのことを言ってるのよ」

そしていま、男と並んでベッドにいる女は囁く。「どうしてこんなもの、一緒に見なくちゃならないの?」。残酷な口調ではない。女が言いたいことは、男にもわかる。あたしたちがこんな、思いもよらない空を見たのも、ひとえにあたしたち自身のせいなのよ、そう女は言っているのだ。この空もまた、あたしたちが共有する新たな記憶になるのよ、そう言いたいのだ。そして、その問いに答える必要がないことを、男は知っている。それは単に、ふと女の独り言を聞いてしまったようなものなのだ。男はもはやここにいないも同然なのだ。知られざる時間に、黄金海岸で、女は一人で目ざめたも同然なのである。

交通

キスが都市を横断する。それはガラスの路面電車に乗って進んでいく。子供のころ塗り込められてしまった線路の幽霊に沿って、電車は青い電気の火花をまき散らしていく。彼女が母親と都心に出かけるときに使った路線。

キスが都市を横断し、ロビーの回転ドアを抜けて雨の夜に出る。黒いガラスの並ぶ大通りでタクシーを拾い、赤信号を突破して、ワイパーがつくる開いた扇の蔭に溶けて消える。

雨が闇から降ってくる。色もなく、螺旋を描いて雨は降り、それに触れるものすべてを暗くし、ほのかに黒光りさせる。

彼女のキスは都市を横断し、地下鉄のトンネルに入る。人けのないこの時刻、地下世界を貫く水路のようにトンネルは下っていく。そこには時間というものが存在しない。街路の下では地球が回転しないかのように、いつも夜だ。駅の入口に、軍隊を脱走してきた、もうどこにも行くところのない若者が立っている。コンガセーロ、若きコンガ・ドラマー。軍隊の作業服を着て、コンガを叩いている。おかげで鳩たちも眠れず、寝る時間はもう過ぎたというのに、マンボを踊っている。若者は小銭の入った帽子を舗道に残し、エスカレーターに乗る。コンガのリズムに合わせて、エスカレーターが彼を下に運んでいく。リズムが狂おしさを増せば増すほど、エスカレーターは地下深くに彼を連れていく。ドラミングに合わせて、エスカレーターがルンバを踊る。それからチャチャチャを、グァングァンコを。しまいには、すっかりコンガに憑かれ、もはやわが身を折りたたみながら循環することもできず、エスカレーターは水銀のようにひたすら流れ落ちる階段と化す。ゆらゆらとゆらめく滝、眠りの王国をくねくねと這う大蛇。それはコンガセーロを、眠りよりも深い場所に運んでいくだろう。夢より深く、悪夢より、麻薬びたりのうたた寝より、昏睡よりなお深くまで運んでいくだろう。やがて彼はプラットホームに降り立つ。そこでは、死者となったばかりの、魂もいまだ肉体の形をとどめている者たちが、途方にくれてあたりをうろつきながら、次の目的地に連れていかれるのを待っている。

「誰か係の人はいませんか?」とコンガセーロは、都会にやって来た外国人が道案内を乞うような口調で訊ねてみる。魂たちでごった返しているというのに、その声は、まるで虚無に向かって呼びかけたみたいに響きわたる。彼はコンガを叩く。この場を仕切っている霊が何であれ、そいつを呼び出すのが目的だ。聞く者を動かさずにはいない力強いビートに、リズムを忘れた死者たちもゆらゆらと体をくねらせはじめる。どうやら彼らも、心臓の伴奏をふたたび感じているらしい。

「イク・ラ・ティグワ・ウン・バイ・バイ」と彼はコンガのビートに合わせて唱える。いつか教わった魔法の言葉。古代の言語の、助けを求めて祖先を呼び出すための呪文だ。イク、は祖先という意味である。けれど唯一の反応は、うつろな沈黙だけ。その沈黙を、コンガはなおもリズミカルに切りとりつづける。

若者は一人の女を失った。その女を探しに、ここにこうして降りてきたのだ。女を失って、彼は知った。永遠とは、何かがあることではなく、ないことなのだ。彼のコンガが、沈黙を時間につくり上げる。刻むべき時間もない場所で、コンガはリズムを刻みつづける。リズムは彼の歌、彼の力だ。トンネルから吹く風が、彼のまわりで舞う。骨までしみ通る湿気にもかかわらず、若者は汗をかきはじめている。ここでは涙と同じくらい不可能であるはずの汗が、ぽたぽたと落ちる。体をおおいかぶせるようにして叩くコンガの皮の上に汗は落ちる。若者の目は閉じられている。コンガを打つ手も、激しい動きに、ほとんど透明になっている。

操り人形のようにぎくしゃくと踊りながら、死者たちが列をなして通り過ぎていく。だが若者は気がつかない。大道楽師の前を過ぎていくラッシュアワーの人波のように、死者たちは彼を避けて、流れるように進む。おのれの刻む複雑なリズムに浸りきった楽師は、もう自分が立っている街も忘れてしまっている。いや、もっと悪いことに、街の感覚を失ってしまうことがどんなに危険かも忘れてしまっている。みずからのドラミングに憑かれたその体には、忘却が染みわたっている。この場所を仕切っている霊が何であれ、そいつに嘆願するためにコンガを叩いていることも忘れている。イクのために叩いていることも忘れている。このドラミングを、自分の守護聖人エリェグア――作業服の下には、エリェグアの聖なる宝貝のネックレスが軍隊の認識票とからみ合っている――に捧げることも、若者は忘れてしまっている。

そう、本当は、エリェグアのためにコンガを叩くべきなのだ。悪戯の神エリェグア、扉と十字路の主エリェグアのために。なのに彼は、いまやひたすら、失われた恋人のために叩いている。虚空を永遠に落ちつづける、と伝説にいう娘のために。彼の頭には、香水の匂いがしみ込んだ彼女の黒いストッキングが、汗止めのように巻きつけてある。彼女に焦がれる想いが、悲しみに変わってしまうことを、彼は拒む。彼女のために紡ぎ出されるリズムは、いままで誰一人叩いたことのないリズムだ。指が、手のひらが、コンガの皮を叩き、打ち、汗にまみれた二人の体が触れあって出した音を呼び起こす。そのうねりは軽やかなメロディーのようだ。

コンガの歌を、トンネルが増幅する。そのエコーが、遠くの誰かがやっとのことで返事を返してきたみたいに、ずっとあとになって戻ってくる。コンガはみずからのエコーに応える。輪郭もぼやけた両手がなおいっそう速く打ち、エコーは何倍にも増えていく。はじめは聖なるバタ叩きの三人組に、やがては鼓手の一個軍団に。若者は鼓手軍団を分散させ、娘を探しに送り出す。彼らの狂おしいドラミングの反響が、トンネルというトンネルを伝わっていく。血液のように、時間が地下世界を循環する。とうとう、意識も朦朧としたまま、娘が影のなかから歩み出てくる。

若者は娘を連れて、地下世界を出発する。込み入ったダンス・ステップの足跡をなぞるみたいに、娘は彼のコンガのビート一つひとつに従って歩く。リズムに合わせて進む二人は、それぞれの腰に導かれて歩いているように見える。死はまだ彼女の美しさを損なっていない。けれども、その顔に浮かぶ若々しさには、どこか仮面のような趣がある。仮面の向こうで、どことなく曇って見える瞳は、じっと自分のなかを見つめている――まだ慣れぬ新たな状態、自分というものを欠いた状態に、すっかり魅せられているかのように。娘の物腰はおごそかだ。娘は何も言わない。こんな彼女を、若者はいままで見たことがない。君はもうどうかされちゃったのかい？　そう若者は叫びたいが、何も言わない。一度だけちらっと彼女の姿を眺めたあとは、日光と実体の世界に戻るまで、もう一度見る気にはなれない。空き地の瓦礫からしぶとく伸びる若木にとまった雀たちがチュンチュン鳴く世界、そこにある影といえば、果物や花を売るスタンドの上に広げられた緑の日除けの影だけである世界に戻るまでは。

ハイヒールをはいていても、彼女は漂うように軽々と歩む。鼠がごそごそと走る音にかき消されて、その足音も聞こえない。だが若者は、彼女がちゃんとついて来ているかどうかを確かめるためにふり向くこともできない。それは、一歩進むごとに、死を放棄したという事実が彼女にいっそう凄絶な美しさを付与するからかもしれない。あるいは、彼女自身の胸のうちをじっと見つめているその瞳と視線を交わすのが怖いからかもしれない。そのまなざしに気をそらされて、自分が叩き出すビートの、揺るぎない、力強い支配力を失うのを恐れているかのもしれない。永遠によって囲い込まれたこの場所で時間《リズム》を刻み出す自信がぐらつき、ほんの一瞬でもビートが乱れてしまえば、二人とももうおしまいなのだから。

光のことだけ考えるんだ、僕の可愛い鳩よ——若者はそう娘に言ってやりたい。目ざめたばかりのつもりで、ブラインドを上げて正午の光を招き入れるように、君の記憶を開くんだ。そうすれば君は、僕がはじめて君を見た瞬間の君に戻るはずだ。あのとき君は軒先に立っていた。日の光が君のドレスを貫いて流れ、君の両脚を、君の下着のレースの花びらを照らし出していた。昼ひなかだというのに、まるで僕の目に特別な力が備わっているみたいに、僕には君の胸の影が見えた。

だが、トンネル同士が交わり、地下鉄線路と下水道が出会って鋼鉄と泥とが混じりあう地点まで来ると、若者は立ちどまる。コンガを叩く手だけは休めずに、その結節点——下水管の筒が終わり、空井戸や廃鉱の立抗や洞窟が交叉し、それからまた四方八方に掘り進んでいく結節点——にじっと立ちつくす。通路はどれも暗い。迷路のように広がる地下墓地が、底知れぬ裂け目や黒い峡谷に呑み込まれていく。コンガのビートが袋小路や行き止まりに衝突し、はね返っては飛び散る無数のエコーをつくり出す。その喧噪が、若者を圧倒する。突然、彼の両手が混乱に陥る。はじめ彼はそのことに気づかない——自分の両手が、音もなくだらんと、体の両側に垂れてしまったことに。コンガの音は彼抜きでそのままつづく。ひっきりなしに鳴りつづける、混沌とした、時間を刻むというより打ち壊す音。守り神エリェグアはどこにいるのか、彼を導いてくれるはずだった十字路の主は？　守護聖人が悪戯の神なら、さずかる恩寵も悪戯になってしまうのか？　若者はふり返り、もうだめだ、と娘に告げようとする。だが彼女はもうそこにいない。向き直ると、彼女が目の前に立っている。いままでずっと、彼女こそが彼を導いてきたかのように、彼女こそが二人をここまで連れてきたかのように、若者の前に立っている。今度は彼がついて行く番だ。コンガを引きずり、目を彼女の背中に釘付けにして、もつれ合った通路をさらに奥深く進んでいく。少しずつ、彼にもわかってくる。そもそものはじめから、呼び寄せていたのは自分ではなかったのだ、と。

地下鉄の車両の窓に、ぼんやりとした姿で乗っているそのキスが、二人のかたわらを飛ぶように過ぎていき、コバルト色の照明灯に照らされたトンネルを抜けていく。列車が川の下を通るあたりでは、トンネルの壁に水のしみがあちこちに浮かんでいる。ばりばりとラジオの雑音のような車掌の声が、記憶が下車し、情熱と欲望が置き去りにされる駅の名を一つひとつ告げる。列車が通過してゆく駅の壁は、どこも名前や日付や墓碑銘の落書きでいっぱいだ。寿命が訪れる前に死んだ者たちが辛抱づよく立って待つ駅を列車は飛ぶように通過し、あまりに長く待ちすぎて死ねなくなってしまった者たちの駅を通過する。それは愛のために死んだ者たちの駅を通過し、愛がないために死んだ者たちで混みあう駅を通過する。一列に並んだ影たちが、一瞬目を開け、そのキスに触れようと手を突き出し、ぴんと伸ばした指先――もうそこには指紋もなくなっている――でそれをつかまえようとする。けれど列車はもう、彼らを置いて走り去ってしまっている。今夜は孤独や悲しみのために止まっている暇なんかないのだ。ほっそりと伸びた第三レール、バイオリンの弦のように調弦されたそのレールが、そのキスの、言いようもない重さを感じとり、まっしぐらに前進していく。第三レールは給電用であり、電気が流れていて、死者の王国に属していない。銀の糸をたどって迷路から抜け出すように、キスはその経路を進んでいく。

　キスは都市を横断する。濡れたタイルで舗装されたみたいに波音を反響させる、湖岸にちなんで名付けられた通り――北岸《ノース・ショア》、湖畔《レークサイド》、波地《ウエーブランド》、寄せ波《サーフ》――を通って。街灯の上を、夜鷹たちが、カモメのように甲高く鳴きながら旋回している。窓の下にへばりついた、最後の潮のかすかな名残りが、素肌の腰まわりに残ったゴムの跡のようにだんだんと消えていく。

　キスが都市を横断する。水中に沈んだ地下室や屋根裏の並ぶ町から空を仰ぐ夢想家の頭上に浮かぶ水影のように、下を向いて、漂うように進んでいく。格子に閉ざされたウィンドウの向こうで、マネキンたちは人魚だ。毎晩、青緑のガウンの背中に走るジッパーを引き下ろすかのように、人魚たちはふたたび海に入っていく。

　彼女のキスは都市を横断する。サキソフォンの奏でるいちばんブルーなメロディーのような弧を描く橋、甘い水をたたえた夜の海の上空に伸びる未完の橋を渡って。橋の先端で回転している灯台の光は、パトカーの屋根のライトかもしれないし、どこかの漁師のランタンかもしれない。魚よりも薄い影を引きずりながら、彼女のキスは誰にも見られず街灯を過ぎ、夜警の懐中電灯を過ぎ、門を、警報を、門限を過ぎていく。そのキスを受けるべき唇でさえ、彼女の舌がひっそりと入ってくるのを、彼女の歯がかすかに当たるのを感じはしない。あるいはまた、彼女が唇を離すときに、塩っぽい唾が糸のように粘つくのも。

川

　雨で横丁は、眠る者たちのあいだをくねくねと流れる川になる。その川が、闇を通って流れてゆく音に、恋人たちがじっと聞き入る——少なくとも、眠れない男はそう想像する。川の音は、男にもほとんど聞こえるような気がする。もっとも男は、それを聞こうと耳を澄ますことも、本来なら眠って夢を見ているべき精神を紛らすための方便にすぎないことを知っている。恋人たちなんて、どこにもいないかもしれないのだ。いたとしても、口をあんぐり開けて、たがいに背中を向けてぐうぐう寝ているかもしれないのだ。

　恋人たちを想像することによって男が自分の人生を測るのは、これがはじめてではない。男は覚えている。まだ若かったころ、ある朝、男は勤務先の高層ビルのコピー室の窓辺に立っていた。そして、車の多い大通りの向こうに建っている、かつての優美さをとどめた古いホテルの、ブラインドの下りた窓をじっと眺めていた。いまでも男は、そのとき突然襲ってきた感情の波を思い起こすことができる。コピーマシンのがたがたという音を聞きながら、通りの反対側で恋人たちがたったいま目ざめようとしているのが体で感じられるような思いが湧いてきたときの気持ちを。たぶんあのときも、要するに自分で勝手に恋人たちを想像しただけの話なのだろう。でも、あの瞬間、ブラインドの下りた窓の向こうの恋人たちの存在は、本当に生々しい手ごたえをもって感じられたのだ。その存在感に較べれば、自分の人生なんて、まるで実体のないものにしか思えなかった。そして彼は、何なのか言葉では言えないけれど、自分に欠けていることはわかる何ものかを焦がれる気持ちで、胸がいっぱいになったのだった。恋人たちが夢想の産物にすぎないとしても、その夢想は、時として大いなる啓示につながりうる種類の夢想だった。自分が会社勤めに向いていないことを確信したのもその朝だった。手遅れにならないうちに俺は人生の方向を変えなくちゃいけない、そう彼は確信した。一週間後、男は退職し、大学に戻った。

今夜、男はふたたび彼らの存在を感じている。たとえ想像の産物にすぎぬかもしれないにせよ、恋人たちの存在のほうが、別れた女の不在よりも、彼にとっては好ましい。たとえ一晩だけでも、彼女なしで行なう会話、あたかも彼女が聞いているかのように語りかける会話から離れられるのはありがたい。恋人たちは何も言わない。ただ横になって、川の音に聞き入っている。男もまた、目を閉じると、きっと二人にはこんなふうに聞こえているにちがいないと思える音が、自分にもほとんど聞こえる気がしてくる——下水道の甲高い反響音、流れる水の縞模様が広がる闇の音が。あらゆるひびから水は染み出し、あらゆる突き出しからしたたり落ちる。その水滴一つひとつが、水滴というものがそれぞれ青い光の真珠を包み込んでいるのと同じように、どれもそれ自身に固有の音階を抱えている。目ざめと夢とのはざまで目を閉じていると、降る雨の川に映る光が見えてくる。湖岸高速道に並ぶ、霧に包まれた街灯やテールライト。都心の薄暗いオフィスビルや、ほのかに光るホテルのロビー。工場の青い窓の向こうで火花を散らすアセチレン。ネオンに照らされたバスターミナルの向かいの、いつもかならず開いている大聖堂の棚に連なった常灯明の蠟燭。もし寝床を離れて川沿いを歩けば、男は見るだろう。いくつものブラインドが上げられ、いくつものカーテンが開いているのを。そして、前からうすうす感づいていたとおり、この町の暗い建物には、大勢の恋人たちが住んでいることを知るだろう。彼らのシルエットが立ったまま服を脱ぎ、窓の額縁に囲まれて、タロットカードの恋人たちのように、裸の、謎めいた姿をさらす。男と女、男と男、女と女が抱擁する。現在の恋人たちが過去の恋人たちと重なりあい、誰が誰の影なのか、男には見分けもつかない。部屋、駐車した車、その他彼らの私生活の歴史にまつわるあらゆる場所が、あたかも霊のきらめきを帯びた記憶のように、おぼろげな光を発している。独りぼっちの者たちも見える。彼らはぽつんと吊るされた電球の下に佇み、鏡を見つめながら、おのれの欲望を値踏みしている。高架鉄道が屋根の上をがたごとと通過していく。明かりのともった窓は、ブルームービーの断片のようだ。

男はほとんど眠ったまま、高架の列車のがたごとという音を聞く。音はやがて橋桁の彼方に霞んでいき、次第に遠ざかるにつれて、まばらな車の音や時おり響くサイレンの音のなかに溶け込んでいく。そしてそれもみなじきに、川の奔流に洗い流されてしまう。川の音に聞き入るのも、結局は別れた女のことを考えるためのもうひとつの方便なのだ。夜の想いが生み出す洪水の上を、男は漂っている。そのさまざまな想いも、昼になれば、人が夢を放棄し忘れてしまうように、男は捨ててしまおうとするだろう。だがこのごろは、安らぎのない夜が、昼間にまでじわじわ浸透してきている。川は耳元で流れ、男はほとんど夢のなかで、恋人たちが戻ってきた理由を悟る。それは、別れた女の記憶が影になりかけているからだ。何かの秘密のように男が胸のうちに秘めた、影になりかけているからだ。そしてその記憶に較べれば、彼の存在など、ろくに実体もないものになりかけているからだ。影になりかけているその記憶は、男を影のように引きずっていく——影の影。記憶は彼という人間を闇に変え、彼自身にとっても不可解なものにしてしまった。現在の恋人たちが、彼がまだ若かったころと同じ姿で現われたのは、人生の方向を変える時間にも限りがあることを思い出させるためだ。過去の恋人たちが現われたのは、もうすでに手遅れであるかもしれないからだ。いまとなってはもう、記憶たちがそれ自身の生を生きはじめられるよう、それらを解放してやるべき時かもしれないからだ。

そして、窓辺に取り残された少年の記憶は？　雨のはねかかった窓に映る自分の姿の向こうをじっと見つめている少年の記憶は？　ガラスの上で霧と化し、やがては指で拭い取られる吐息の蔭に、少年がこのまま消えてしまっても不思議はあるまい。彼の背後で、部屋は眠りについてしまった。ベッドも彼の重みを欠いて、浮遊せんばかりに軽くなっている。下の階では、ウクライナ人の、いまや名手となった子供が、死者たちを鎮魂する夜奏曲を弾き出した。向かいのアパートの地下から、祈りの言葉が薔薇香油のように立ちのぼる。恋人よ、いまや雨が夜鷹たちにとって代わった。雨は青い光のヘルメットに叩きつける。その一滴一滴が、それ自身の青い電球を含んでいる。ひとたび砕けた水滴は、集まって青い川になり、なおもほのかな光を発しつづける。この川こそ、彼ら二人をともに流し去ろうとしているこの川こそ、少年と男を結ぶ唯一の絆だ。川は都市の内陸部を貫いて流れ、行く先々で街路を水没させ、大平原の黒海の堤防たる、つるつるのハイウェイに出る。錆びついた荷船が幽霊のような湖岸線に停泊している桟橋のかたわらから、川は湖に注ぐ。川になった横丁を見下ろす部屋の窓から、少年はそれを見ることができる。防波堤の光沢のなか、遠い汲水所のまたたきのなかに、ぽつんとともる電球の青が彼には見える。はるか沖の、朝が来れば水平線となるあたりに浮かぶ貨物船のぼんやりとした輪郭のなかに。水流に映る、通りすがりの未来の姿を見ることだってできるはずだ——もしも少年が、輪を描いて下水道の渦巻のなかにゆっくりと沈んでいく街灯の光に見とれていたりしなかったなら。もしも少年が、影絵たちが彼を呼びに来るのをいつまでも待っていたりしなかったなら。少年は気づいていない。いつまで経っても気づくまい。彼らと同じに、彼自身も影になってしまったことに。

夜鷹

昨夜の熱もいまだ冷めやらぬ月が、ふたたび空に出ている——電球のように、といっても虫たちがまわりを飛びまわるわけにもいかないが。代わりに虫たちは、四つ角の街灯に群がる。通りでエアコンが、キリギリスにリズムを合わせてがたがたと鳴る。

ガレージに明かりがついている。一人の男の、どこか寂しげに見える両脚が、ダッジの下から突き出ている。何なのだろう、午前零時すぎに車をいじっている者が感じさせる、この優しさのようなものは？　ボンネットを開けたエンジン部に立てかけた携帯ランプから発する、まぶしい斜めの光が、かつてアイオワの闇のなかを車で走ったときのことを僕に思い出させる。一組の男女が小麦畑でキスをしている姿が、光にくっきりと浮かび上がるのを僕は見たのだ。体をぴったり寄せあって、二人は立っていた。その背後に、巨大なコンバインのヘッドライトが、目もくらむ光の堤防をつくり出していた。闇のなかで脱穀作業をしていたのだろう。光の帯のなかに埃や籾殻《もみがら》がくすぶるように漂い、まるで二人が煙か霧のなかに立っているように見せていた。

砂利がぱちぱちとはねる道路を飛ばしていた僕は、二人の姿をほんの一目見ただけだった。でも僕はそれを、さっき道路沿いの飲み屋兼食堂で出会った酔っ払いの離婚女を追いつづけよという神託として受け取った。シカゴに帰る道中、コーヒーでも飲もうと僕はその飲み屋兼食堂に立ち寄ったのだった。離婚女《ディヴォーセ》というのは自己紹介のときに女が自分で使った言葉だ。「あたしは正式に気まま《ゲィ》な離婚女になったことをお祝いしてるのよ」と女は僕に言った。僕はちょっと驚いたような顔をしたにちがいない。誤解されたと思ったか、女がすぐに言い足したからだ。「ううん、同性愛《ゲィ》ってことじゃなくて、ほら、ワイルドっていうか、好き勝手《ゲィ》にやるってことよ」。僕らは一緒に何杯か酒を飲んで、ジュークボックスに合わせて踊り、駐車場に流れついて、彼女の小型トラックでネッキングをした。僕が彼女のブラウスのボタンをはずそうとすると、彼女が言った。「あんた、十五やそこらのガキみたいに、一晩じゅうここにいるつもり？　それともあたしの家に来る？」

僕はそのあたりの地理を知らなかったので、彼女の車にくっついて、くねくねとつながったハイウェイを走っていった。曲がり角があんまり多いので、きっと近道をしているんだろうと僕は思った。流れる夜の外気で頭をすっきりさせようと、車の窓は開けておいた。ヘッドライトの細い光の筋の彼方に、僕たちを下から押し上げている大平原の広大さが感じられた。さえぎる地平線もなく、闇のなかにどこまでも広がる大平原。僕はふと、そのあまりの大きさに自分が呑み込まれてしまうような気がした。いままでそんな気分になったのは、海の上にいたときだけだった。夜中、小さなボートで波に揺られているときなどに、こんな気分になるのだ。彼女の車はどんどんスピードを上げていった。ハイヒールの爪先が、トラックの、ワークブーツ向きの大きさのアクセルをぐっと踏み込む姿が目に浮かんだ。どこへ連れていかれるのか、僕はまるで気にとめていなかった。気にとめていたところで、どうせじきにわからなくなってしまっただろう。街灯もないアスファルト道路が、低く枝を垂らした樹木に包まれて、トンネルのように伸びていた。砂利道に出たころには、彼女の運転は狂気の域に達していた。踏切りや、下水管の盛り上がりを、車は跳ぶように越えた。車の背後に埃が舞い上がり、テールライトは赤い点にしか見えなくなった。彼女はどのラジオ局を聞いているんだろう、と僕は考えた。僕が思っていたより酔いがひどいんだろうか。レースでもやっているつもりでいるんだろうか。それとも、急に気が変わって、こんな裏道に出て僕をまこうと思っているんだろうか。だとすれば、僕はまかれてやるべきなんだろうか？

今夜、たくさんの人がまだ眠らずに、街灯から街灯を漁ってまわる夜鷹たちを眺めている。翼に走る白い縞をきらめかせながら、夜鷹は光のなかに飛び込む。それから、道路に並ぶ暗い木々を背景に、滑るように飛び去っていく。木々は木というより影のように見える。もっとも、逆円錐形の光が葉を捕らえ、その緑をきわだたせているあたりは影とは違うけれど。そして、まだこんなに大勢の人が起きているというのに、こんなに大勢の人々が晩を手放す踏んぎりがつかずに窓から身を乗り出したり、階段に腰かけ煙草を喫ったり、玄関ポーチで体を揺すったりしているというのに、あたりは静かだ——雑談もなし、噂話もなし、おはなしもなし、子守歌もなし。あるのはただ、虫たちのぶーんという羽音と、鳥たちの刺すような叫び声だけだ。まるで、自分たちが本当はもう眠っているべきであり、夜の描写は夜鷹たちに任せておくべきであることを、僕らみんなが心得ているかのように。

失神する女

夏の日曜ミサで、一人の女の人が時どき失神した。失神するのは、十一時十五分のミサの最中だった。夏期にはそれが日曜日の最終ミサだった。その時刻にはもう、はるか頭上のステンドグラスの窓から日光の帯がさし込み、涼しい大理石や漆喰をもってしても教会内から暑さを締め出すことはできなかった。暑さにもかかわらず、案内係を勤める「聖なる御名協会」の男たちはスーツを着てネクタイを締めていた。襟にピンで留めた聖なる御名をきらきら光らせながら、男たちは教区民を先導して通路を歩き、空いている信者席に案内した。十一時十五分のミサはいつも混んでいた。僕はそれを大人のミサとして考えていた。聖ローマン小学校の生徒だったころ、僕たちは午前九時のミサに出て、クラス全員、シスターのきびしい監視のもとに大人しく座っていなくてはならなかった。十一時十五分のミサにはシスターの姿は見当たらなかった。女の人たちも、まるで夜の外出のように着飾ってきた。僕はいつも最上階の聖歌隊席に座った。そこからだと、何列もつづく混みあった信者席が見渡せて、失神する女の人を探すことができたからだ。

教会がいくら混んでいても、彼女はかならず見つかった。彼女はいつもバレリーナ風に髪を上げてピンで留め、ほっそりした首をさらしていた。服もいつも同じ、ブルーグリーンのサマードレス。たぶん自分の瞳の色に合わせたのだろうと僕は想像した。それはノースリーブのドレスで、肩の線をあらわに見せていた。ほっそりしたウェストの線を、背中のジッパーがたどっていた。花柄や水玉模様を着た女たちに囲まれて、彼女はすぐ目についた。彼女の何もかもが優雅に見えた。十字を切ってから、手を組んで祈る動作。儀式どおりにひざまずき、立ち、座る、柳のような身のこなし。教会以外の場所で彼女を見かけたことは一度もなかった。彼女のおかげで、ミサは耐えられるものになった。失神しようとしまいと、僕は彼女に見とれたことだろう。

それは僕が高校の二年目を終えたあとの夏で、僕が教会に通った最後の夏だった。教会に通ったのは、ただ単に家族の気持ちを考えたからだ。僕の家族は何かにつけて、自分たちが大切だと信じているものを僕に教えそこなったと感じていた。僕としても、彼らがまたもやそういう失望感を味わうのは望まなかったのだ。家族は僕をカトリックの小学校に入れた。そこでは毎朝がミサとともにはじまった。たいていは死者のためのミサか、殉教者の祭日のためのミサだった。たぶん僕は、あまりに多くのミサに出すぎていたのだろう。僕は飽き飽きしていた。苦難やら死やらに対して、そしてそれ以上に、宗教というものの根底に流れている恐怖に対して、憤りの念を感じるようになっていた。恐怖から逃れるためには、まず信仰を逃れる必要があるように思えた。僕はひざまずきながら、その女の人のことを夢想した。僕のまわりで、ミサはその輪郭を失っていった。ミサを終えたあとの彼女のことを僕は想像した。がらんと何もない部屋に一人でいる彼女が、ブラインドを下ろし、それからブルーグリーンのドレスのジッパーを上から下まで下ろす。こんなことを――よりによってミサの最中に――考えるのは火あぶりに値する罪だと自分が本気で信じていたころを、僕は思い出すことができた。それはさして遠い過去のことではなかった。いま、僕を不安にする唯一の罪とは、彼女がどうかして、むき出しのうなじに注がれた僕の凝視の重みに感づいてしまうのではないか、ということだった。どういう形にせよ、彼女の世界に侵入するのは間違ったことであるように思えた。混雑した教会のなかでも、彼女は自分だけの信仰の場で、たった一人でひざまずいているように見えた。彼女に見とれながら、僕は思った。もしあれだけ熱心に祈ることができたなら、僕だっていまも聖人や天使の存在を信じていられるだろう――子供のころ、古いポーランド教会の丸天井からじっと下を見下ろしていた彼らの存在を。

それから、時どき、僕の目の前で、彼女が失神しはじめるのだった。失神がもたらすいくつかの微細な変化を、僕はただちに見てとった。きちんと留めた髪の毛をなでつけるみたいに、片手がおでこを走る。三日月型の汗がドレスに染み出る。聖なるかな《サンクトゥス》を歌うころになると、彼女は立ったままふらふら揺れていた。彼女が感じているであろう暑さは、僕にもほとんど感じとれる気がした。はたはたとはためく蠟燭の炎一つひとつが、ほてった頰に、不必要な熱をさらに一度ずつ加えていく。まわりじゅうで、汗ばんだ人体が湯気を発散する。聖歌や賛美歌をつぎつぎに歌うせいで生じる熱い吐息。ほかの誰も彼女に注意を払わないのが、僕には不思議でならなかった。教会じゅうで、女たちがひざまずき、賛美歌集を団扇代わりにぱたぱた振っていた。彼女の手の賛美歌集が、前の席に落ちた。説教壇の上から吊るした、唯一の扇風機が、まるで説教でもしているみたいにぶんぶん唸っていた。キユーピッドのような智天使《ケルビム》や、もう少しいかめしい熾天使《セラピム》が、身廊の天空から無表情に下界を見下ろしていた。もしかしたら彼女は、一生懸命こう祈っていたのかもしれない——お願いです、主よ、どうか今日は私を失神させないでください。もしそうだとしたら、その祈りは聞き入れられずに終わった。

彼女の頭ががくんと垂れる。彼女は肱をついて身を起こそうとするが、結局片手で座席の背を握ったまま、席と膝クッションのあいだに崩れ落ちる。ようやく隣の女の人が気がつき、不器用に手を貸して、彼女を席に腰かけさせようとする。けれどももう遅い。彼女はずるずると、ゆっくりと落ちていき、大理石の床に倒れる。どさっという音がして、教会じゅうの顔が一斉にそっちを向く。聖なる御名の案内係たちが持ち場から飛んでくる。彼らは彼女を抱きかかえて、大急ぎで連れ去る。彼女の喉はほてり、赤いまだらが浮かんでいる。目が開いて白目がむき出しになり、また閉じる。ほどけた髪は汗ばんで、巻きひげのようにくねっている。唇がなおも祈りつづけるかのように悶えている。彼らは彼女を抱きかかえて、満員の教会の中央通路を急ぐ。バブーシュカをかぶった老婆の片手が信者席からすっと伸びて、ほっそりした腿をずれ上がったブルーグリーンのドレスの裾を引き下ろしてやるときだけ、ほんの一瞬立ち止まりながら。

熱い氷

聖人たち

その聖人は、処女で、汚《けが》れていなかった。何年も前、氷の塊に入れられて冷凍されたのだった。半裸の死体がうつぶせになってスイレンのあいだに浮かんでいるのを、彼女の父親が見つけたのだ。池の縁の、沼のように濁った水面に、金髪が扇形に広がっていた。水草が伸び放題になった鴨の池は、いまもダグラス・パーク潟《ラグーン》と呼ばれていた。

というふうにエディ・カプスタは聞かされていた。

ダグラス・パークはいまでは黒人の公園になっていた。池にはどんよりした緑色のかすがびっしり浮かび、古くなった牛乳のように凝固しかけていた。エディがそこへ行こうものなら、同じように、スイレンの葉に混じって浮かんでいる姿を発見されるのが関の山だろう。でも冬などに、カリフォルニア・アベニューを走るバスから、白い綿帽子に包まれた人けのない公園と、凍りついた池とを眺めていると、かつての情景が目に浮かぶように思えた。白鳥たちが池の真ん中の、木々の茂る小島のまわりを滑るように旋回し、幽霊屋敷みたいなボートハウスの、ぱっくり口を開けた石のトンネルから、ボートが一艘また一艘と日なたに出てくる……
娘は二人の男と一緒にボートで池に出たのだった。その二人というのが船乗りだったと言う者もいたし、戦争に行く直前の近所の若者だったと言う者もいた。それが誰だったのか、あるいは彼女がなぜ二人と一緒に出かけたのか、はっきり言う者は誰もいなかった。そんなことは問題じゃないという感じだった。とにかく二人は彼女を乗せてボートを漕ぎ、小さな島の、周囲からは見えない側に回っていった。そこで何があったのか、それもやはり知る者はなかった。めいめいが自分で想像するしかなかった。

はじめはただ冗談半分だったのだ、というのがエディの想像だった。男たちは彼女のつたない英語を笑い物にし、よお、仲良くしようぜ、それが嫌なら泳いで帰んな、とからかっていたのだ。一人が彼女の髪をなでて、うしろで束ねた部分を優しくほどく。滝のように肩に流れる髪に誰もが驚き、もう一人がいささか性急に彼女のブラウスのボタンに手を伸ばす。その手を彼女が激しく振り払ったせいで、ボートが大きく揺れる。スリップとブラジャーが破れる。押さえを失った胸が飛び出す。彼女が水のなかに飛び込む。

あっというまのその出来事も、エディの想像のなかではスローモーションで進行した。けれども、みんなが水に落ちてからは、何もかもが一瞬のうちに彼の脳裡を走り抜けた——ボートが転覆し、船乗りたちは小島めざしてばしゃばしゃ泳ぎ、娘は一人、セピア色の水のなかでもがいている。夏の暑さを残した水は生ぬるく、ナマズがどうにか住める程度の深さだ。でも水底の泥は流砂なんだとみんなは言っていた。足を動かすごとに、どんどん闇に吸い込まれていく。水のなかで最後の息をこらえながら、彼女が何を思い出していたのか、エディは考えたくなかった。頭のなかで画像がぱっと切り替わり、娘の父親がガマの茂る水に踏み込んでいく場面になった。いまだ柔らかさの残る半裸の体を、しつこくへばりつくスイレンから父親はすくい上げ、両腕に抱えてポーランド語だかスロバキア語だかボヘミア語だかで泣き叫びながら公園を駆け抜け、そのまま娘とともに市電に乗る。そして、自分が所有する貯氷庫にたどり着くまで、電車をノンストップで走らせる。悲しみに気も狂わんばかりになった父は、娘を氷づけにする。

「市電が出てくるところまでは信じるけどな」その夏にみんなでそういう話を語りあったときにマニー・サントラが言った。バディーズ・バーの前で25セント貨を投げながら語られるそれらの話は、マニーがゲテモノ《ウイアードネス》と呼ぶ話題のものが多かった。「市電をハイジャックするってのはあんまりだぜ」

「じゃ、タクシーでも呼んだってのか?」とマニーの兄のパンチョが言って、どうだキマっただろ、と言いたげにエディにウィンクを送った。

この話になると、マニーとパンチョはいつも喧嘩になった。パンチョは何でも信じた。お化けも、星占いも、伝説も。パンチョの仇名はパドレシート（神父さま）。子供のときに教会でミサの侍祭をやっていたころ、よく裏庭で司祭さまの格好をしてミサをやったのだ。聖餅《ホスチア》は湿気ったトルティーヤをビール壜のふたでくり抜いて作り、葡萄酒はアル中が玄関先の階段に置いていったボトルから本物を集めた。エディの仇名はエドゥアルド。もっとも彼をそう呼ぶのは、命名者のマニー一人だけだった。マニーは仇名のつくタイプではなかった。彼はつねにマニー、もしくはサントラだった。

あるロックの曲を終わりから逆さまに演奏すれば、悪魔からの秘密のメッセージが聞けるとパンチョは信じていた。悪魔や天使の存在を彼は信じていた。自分には守護天使がいるといまも信じていた。要するに俺は運がいいんだ、そう思っていた。バッター・ボックスに入る前に切る十字と同じで、守護天使にもちゃんと御利益があるというのだ。「だからこそ俺は、つかまってもつかまらないわけだよ」とパンチョは、やばい商売をやっているところを警官に見つかっても連行されずに済むたびに言った。パンチョは聖人の存在を信じていた。ひところは、聖人の会なんていう協会に属していたこともあった。協会はマニーも仲間に引き入れようとした。けれど齢はパンチョより下でも、マニーのほうがずっと手ごわかった。マニーは連中を相手にしなかった。「俺もう、一匹狼の会に入ってるから」と彼は言った。

　氷づけの娘の存在をパンチョは信じた。六年生のときに、シスター・ホアキムからも、あの娘は聖人として公認されるべきです、と聞かされていた。侍祭の少年たちの監督者である、おそろしく年老いたこのシスターは、実は私はこっそりローマ法王に手紙を出して、この聖人のおかげですでに奇蹟や救済が起きていることを知らせたのです、とパンチョに打ち明けた。「殉教者の全部が全部、ローマで亡くなったわけじゃありませんからね」とシスターは言った。「いま今日だって、中国でも、ソ連でも、朝鮮でも、あなたの住んでいる町でも、殉教者たちが苦しんでいるのですよ」。尼僧たちはみんなそうだったが、シスター・ホアキムもパンチョを可愛がった。白い法衣《サープリス》と平服《カソック》に身を包んだパンチョは、彼自身こそ聖なる者の列に加えられるべきだと思えるほど愛らしかった。若き日の聖セバスティアヌス、あるいは十字架のヨハネ。教区の歴史上、侍祭の少年が自分の小遣いをはたいて、司祭さまの衣裳に合わせていろんな色の運動靴を買い揃えたのは——殉教者のミサには赤、祝祭日ミサには白、死者のミサには黒――あとにも先にもパンチョ一人だった。四旬節のあいだ、パンチョが自分を罰し、煉獄にいる哀れな魂たちのためにおのれの痛みを捧げていることも、シスターたちは知っていた。

パンチョがシスターたちに溺愛されたために、カトリックの小学校はマニーにとって耐えがたいものになった。ほとんどあらゆる面で、マニーはパンチョの正反対に見えた。六年生で落第し、公立の小学校に移ったが、たいていは街をぶらぶらして過ごしていた。

「俺は信じるね、彼女がこの街で奇蹟を行なったと」とパンチョは言った。

「馬鹿らしい。奇蹟って、どんな奇蹟だよ？」とマニーが問いつめた。

「ほら、ビッグ・アンテクを知ってるだろ」とパンチョが言った。

「アル中のビッグ・アンテクか？」

ビッグ・アンテクならみんな知っていた。アンテクはみんなにビールをおごってくれる人物だった。この界隈のあらゆる肉市場で屠殺の仕事をやった経験があったが、酒で手元が狂うせいで、自分の手をあちこち何度も切り落としてしまっていた。それで結局、仕事も辞めて、専業のアル中になったのだ。

あるとき、ビッグ・アンテクはパンチョに、ケジー・アベニューで働いていたころの話をした。界隈の住民が、まだほとんど旧世界からの移民だった時代の話だ。アンテクはチェコ人の経営する肉市場で職にありついた。床にはおが屑がまいてあり、窓には皮をはいだ兎が吊るしてあった。働き出して一週間もしないうちに、ビッグ・アンテクはぐでんぐでんに酔っ払って、冷凍室のなかで寝込んでしまった。目がさめると、扉には鍵がかかっていた。みんなもう家に帰ってしまっていた。その日は土曜日で、市場は月曜まで開かない。そのころにはもう俺はツーバイフォーの角材みたいにコチコチだ、とビッグ・アンテクは思った。いまだって体がぶるぶる震えて、じっと立っていられないくらいなんだから。じっとしてたら、ぶっ倒れちまいそうだ。そもそも俺の血の半分がアルコールになっていなかったら、もうとっくに死んじまってるだろう。体のあちこちが麻痺してきたので、彼はよたよたとあたりを歩き出した。ぶら下がった肉の塊にぶつかりながら、歌を歌い、声に出して祈りの文句を唱え、恐怖心がパニックに変わる前に何とかそれを追い払おうとした。望みがないのはわかっていた。それでも彼は、何か壊せる部品なり、引き抜けるプラグなり、とにかく冷気を止める手立てを探してみた。と、冷凍室の奥の、何列も肉が並んだ先に、アイスボックスが一つあるのが目にとまった。それは旧式の、戦時中に酒場などによくあったアイスボックスだった。氷の塊とビール壜とを、並べて詰めておくやつだ。そのボックスを見て、突然、ある瞬間の記憶がよみがえってきた。それはアンテクがマニラの病院から退院し、太平洋を渡って帰ってきて最初の夏のことだった。昔のように、彼はふたたび24番通りのバディーズのラウンジでくつろいでいた。バディーズのはす向かいには戦時菜園があり、そこに立てられた、地元教区内の戦没者名を刻んだ銘板には、誤って彼の名前も記されていた。それはごくありふれた瞬間だった。全生涯が走馬灯のように脳裡をよぎる、なんていうドラマチックなものではなかった。でもその記憶の訪れによって、彼の胸はすうっと澄みわたっていった。目の前のアイスボックスも、その記憶に較べると、夢のようにおぼろげになった。バディーズのラジオでは野球中継がかかっていて、ディマジオがふたたびセンターを守っていた。ラジオと一緒にジュークボックスも鳴っていて、ビング・クロスビーが甘い声で囁いている。アンテクはその瞬間、店のアイスボックスに手を突っ込んでいるところだった。肱まで氷水に浸してビールを探しながら、酒場の開いた入口の向こうに見える街を眺めていた。入口のドアが縁どりのように24番通りを囲み、街は映画の一場面のように見えた。まばゆい日の光に、陽炎《かげろう》のようにゆらめく娘が大勢出てくる映画。いくぶん露出過剰に撮られた金髪娘たち。その映画のなかに、いまや自分もいつだって入っていける。何しろ彼は、帰ってきたのだ。でもその瞬間、アンテクはあわてずにゆっくりと時を味わっていた。精一杯その瞬間を引き延ばしながら、できることなら自分の一生をこの瞬間で包んでしまいたいと感じていた。冷えた壜が何本か、指からぷかぷかと離れていき、氷にぶつかってかちんと鳴る。やがて彼はそのうちの一本をつかみ、こいつは何だろうと考えながら、ぽたぽたと水のしたたる壜を引き揚げる——モナークかな、ユーセイ・ピルズナーかな、それともフォックス・ヘッド400？　そして、ボックスの横についた栓抜きでぽんと栓を抜く。泡が勢いよく上がり、アンテクは首をうしろにそらして、ビールをぐっと喉に流し込み、生きていることを一人ひそかに祝う。かつてビッグ・アンテクにとって、酒を飲む、というのはまさにそういうものだった。こうやっていま、死にかけていて、ほかに何もすることがないというときに思い出すには、なかなか悪くない瞬間である。彼はふと思った。このアイスボックスにもぐり込んで眠って、記憶のつづきを夢に見るってのはどうだろう。ボックスには厚い霜がこびりつき、あまりの白さに光を発しているように見える。蓋はなくなっていて、代わりに板状のドライアイスが載せてある。こんなに寒い冷凍室のなかでも、ドライアイスからは煙が立っていた。その煙を見て、子供のころ、自分たちがドライアイスを熱い氷《ホット・アイス》と呼んでいたことを思い出した。それを脇にどけてみると、下には、氷屋が配達してきたばかりのように澄みきった氷の塊があった。氷のなかに何かが冷凍されていた。一目見ただけで、アンテクはすぐ、直感的に悟った。これは人間の死体だ、と。身動きができなかった。もう一度見てみた。まじまじと、見れば見るほど、彼の心は穏やかになっていった。それは若い女だった。髪が見えた。単なる金髪というのとはまるで違う、冬の窓ごしに見える蠟燭の炎のように金色に輝く髪だ。胸はあらわになっていた。氷はさっきよりいっそう澄んでいるように思えた。彼女は美しく、夢見ているような表情を浮かべていた。眠って夢を見ている表情というのではない。都会にやって来たばかりの難民が時おり顔に浮かべている、あの夢見るような表情だ。彼女のそばにいるかぎり、アンテクは震えなかった。血のめぐりが戻ってくるのがわかった。煙を上げているドライアイスが、本当に熱い氷になったみたいに、体は暖かだった。アンテクはその週末を、彼女にぴったり寄り添って過ごした。月曜の朝早く、チェコ人が冷凍室を開けて、アンテクに言った。「出ていけ……お前はクビだ」。二人が交わした言葉はそれだけだった。

「俺の考えてることはわかるだろ」とパンチョが言った。「警察がやかましいもんだから、遺体を貯氷庫から肉屋に移したんだよ」

「俺の考えてることはわかるだろ」とマニーが言った。「俺が考えるにはだね、兄貴があんまりアホなことばっかりやってるもんだから、アル中にまでかつがれちまうんだよ」

二人はじっと睨みあった。ひげを生やしかけているせいで、マニーのほうは特に凄味があった。あごはまだ無精ひげという程度だったが、それに加えて、黒い縮れ毛がひとかたまり、唇の下のへこみから飛び出していて、ちょっとジャズ・ミュージシャンみたいな感じだった。パンチョはといえば、体じゅう十字架だらけだった。オープンシャツにかけた革紐からは木の十字架がぶら下がり、喉にぴったり巻いた細い金の鎖には小さな金の十字架があって、右の耳たぶにもさらに小さなプラチナの十字架があるし、そして手首の、ちょうど脈を測るとき触れるあたりには、色褪せた墨汁みたいな色で十字架の入れ墨がしてあった。

「チンポコも十字架型なんだぜ」とマニーが言った。

「ボッキしたときだけだけどな」とパンチョがニヤっと笑って言うと、二人はまた喧嘩をはじめた。

「なあおい、エディ」とパンチョが言った。「お前の意見は？」

いつもと同じように、エディはただ肩をすくめるだけだった。よくわからない、というのでもないし、どうでもいい、というのでもない。すくめた肩こそが、まさに彼の意見だったのだ。

「うん、ま、とにかくだ」とパンチョが言った。「俺は聖人がいると信じてるし、そこらじゅうで奇蹟が起きていると信じてる。みんなただ認めるのが怖いだけなんだよ。たとえばほら、ラルフの弟だ。八つのときにチアノーゼ症で死んだ子。自分がもう死にかけてるってずっと知ってたのに、文句一つ言わなかった。ありゃあ聖人だよ。ビッグ・アンテクだってそうさ。アル中とか何とか言われてるけど、あいつは誰でもちゃんと人間として扱うじゃないか。そういうのと、大統領と、どっちが聖人だと思う？　それとミセス・コリーリョ。年じゅう大声でお祈りしてるんで、気狂い呼ばわりされてたけどな。覚えてるか？　一日じゅうひざまずいてプエルトリコのためにお祈りしてたんだ。ほらあの、ロベルト・クレメンテが乗ってた支援の飛行機がさ、途中で墜落しちまったときの地震だよ。なあ、覚えてるか？　一日じゅうお祈りしてさ、夜になってもまだ祈ってるんだろうってみんな思ってたら、ひざまずいたまま死んでたんだ。ありゃあ聖人だよ。それにロベルト・クレメンテもだ。教会か何か建てるべきだね、聖ロベルト・クレメンテ教会とかさ。祭壇と並べて、クレメンテがバッターボックスで構えてる像を置くんだよ。子供たちも寝る前に彼にお祈りすればいい。祈りにも熱が入るじゃないか」

「あのな、あの地震があったのはプエルトリコじゃないぜ」とマニーが言った。「それにだな、死体を抱えてる人間のために市電が止まってくれるなんて、俺は信じないね」

失われた記憶

そもそもかつて市電なんてものがあったことさえ信じがたかった。そのころの街、父親たちの街。それは家族の記憶がさかのぼりうる限界だった。エディやマニーにとっては、はるか遠い世界に思えた。自分たちが小さかったころの街だって、いまではもうどこか異国の都みたいに思えた。

彼らのまわりで、過去が崩れ落ちていった。老朽化した過去が、ブルドーザーで壊され、葬り去られた。まる一ブロックを占める、荒れはてた工場の前を彼らは歩いていった。水があふれてしまった掘削坑を囲む、釘付けされ、ペンキもまだらに剝げかけた扉の並ぶ壁の前を過ぎていった。自分たちが幼かったころに閉店した食料品店の、ぞんざいに板を打ちつけた店先に彼らはたむろした。店の棚には埃をかぶった缶詰がいまも積んであった。ガラスの破片がそこらじゅうに散らばり、前庭の窪みや排水溝に、砂のように積み上がっていた。教会のステンドグラスまで、ところどころベニヤでつぎはぎがしてあった。

クレーン車や解体鉄球がじわじわと入り込んでくる前にあった、いまとは違う何かを彼らはおぼろげに思い出すことができた。秩序、というのではない。むしろ、リズム。五時の笛、火曜日の空襲警報。木曜日には、屠場から茶色い風が吹いてくる。ひづめや骨を煮ているんだよ、と大人たちは言っていた。顔をしかめて、「やれやれ！　今日はにかわを作る日か！」

市電の線路は、もうずっと昔に、舗装の下に埋もれてしまっていた。蜘蛛の糸のような黒い集電線も消えてしまった。雑草に占領された戦時菜園もいつのまにか消滅し、それとともに、地元の戦没者の名を記した、朽ちかけた銘板もなくなっていた。

思い出せはしないけれど、なくて寂しく思えるものが、いろいろなくなっていた。そもそもあったのかどうかよくわからないものも、いろいろなくなっていた。蓋を開けた瓶《かめ》から難民が網で鼠をすくい出していた、線路わきのピクルス工場。くず屋の馬に飼葉《かいば》をやる桶。くず屋と、その木製の荷車。砥石をきいきい鳴らして「はさみ！　包丁！」と声を張り上げながら横丁をまわる包丁砥ぎ職人。広告塔の蔭で、ダンボールの掘立て小屋に暮らしていた世捨て人。

時おり、空白だらけの街を歩いていると、もはや自分たちもそこにいないような気がすることがあった。見慣れた標識はそこらじゅうにあるのに、何だか迷子になってしまったような、自分が自分の影になってしまったような思い。現在に重ねあわされた影――でも現在なんてありゃしない。あるのはただ、瓦礫と化した過去か、約束にすぎない未来だけだ。宙を漂うように、彼らは街を歩いていった。マリワナをやりすぎたみたいに、ふらふらと、どこへもたどり着くことなく。

そんな思いを抱きながら、その秋の、風の強い夜に、マニーとエディは毎晩、郡刑務所のまわりを歩いたのだった。カリフォルニア・アベニューをぶらぶら歩いて、郡庁舎、ブリッドウェル矯正院、不法駐車車両置場、隔離病院を越え、刑務所のコンクリートの壁が描く長いカーブを26番通りに向かってたどりながら、マリワナをまわす。丸めた手でおおって煙草を隠し、パトカーが通りかかったらさっと投げ捨てられるようにしておく。でも、一箇所だけ、絶対にパトカーが通らないところがあった。それが刑務所の壁の前だった。

そこには誰もいなかった。壁と、線路と、川と、川沿いの工場があるだけ。街が何べん様変わりしても、これらの境界線だけはいつも同じだった。

木の姿なんて目に入ったためしがないのに、木の葉が渦を巻いて、彼らの靴のかたわらを転がっていった。それはエディのいちばん好きな天候だった。荒れた、風の強い晩は彼を自由な気分にした。旗ざおが風に吹かれてがたがた揺れ、彼の服も旗のようにぱたぱた鳴った。自分がきりっと引き締まったような、同時にふっと弛《ゆる》んだような気持ちだった。刑務所の壁のカーブに沿った、いつもだったら歩いていて悲しくなる通りを歩いていても、めいっぱい生きている気分になれた。その通りには名前がなかった。そもそもそこは、通りというほどのものではなかった。壁の影、という感じで、窪みや水たまりがあちこちにあって、舗装もいい加減だったし、錆びついた線路がわだちのように伸びていた。

「昔ここに汽車が走ってたんだぜ」とマニーが言った。

「俺、ここに戦車が走ってるところも見たことあるぜ」

「鉄道のタンク車か?」

「いや、軍隊の戦車《タンク》だよ」とエディが言った。

「戦艦もか、エドゥアルド?」とマニーが真顔で訊いた。それから、風が彼の口から笑いをひとつもぎ取っていった。刑務所の壁の向こうまで届くくらい大きな笑い声だった。

エディも大声で笑った。でも彼は本当に戦車を覚えていたのだ。網でカムフラージュした戦車が、貨車に載ってごとごと進んでいく姿を。カンカンと警鐘の鳴る踏切りが26番通りにいくつも並び、それらの踏切りにともされた赤いカンテラに縁取られて、大砲の砲身がくっきりと浮かび上がっていた。それは彼のいちばん古い記憶のひとつだった。まだずいぶん幼いころだったにちがいない。列車ははてしなくつながっているように思えた。刑務所の壁の監視塔からそれを見物している看守たちの姿が見えた。看守が通りの方を向いているのを見たのは、あとにも先にもあのときだけだった。「まだ朝鮮かどっかに送り出してるんだな」とエディの父親が言った。その後何年もエディは、汽車で朝鮮まで行けるものと信じていた。その後何年も彼は、静まりかえった夜中に目をさまし、何ブロックも先を通っていく汽車の音を聞いて、ベッドに横になったまま耳を澄ませた。戦車が刑務所の前を進んでいるのだろうか。朝鮮だか、どこかよその戦争だか、とにかく戦車が夜に行くべきところに行こうとしているのだろうか。それから、彼は囚人たちのことを考えた。ナイフやこん棒や肉切り包丁やピストルで暴力を働いたせいで、独房にとじ込められている連中。彼らもやっぱり眠れずに起きていて、網をかぶった砲身が、鉄格子入りの窓の外を過ぎていくのを寝床で聞いているのだろうか。まだ子供だったけれども、エディはなかにいる連中の名前を知っていた。ミロ・ハーマンスキ——アンディーズ酒場《タップ》で喧嘩になって相手の目を刺した。ビリー・ゴメズ——妹のジーナが輪姦されるたびに団地に放火した。ジギーの叔父さん——戦争の英雄だったのが、遺書をめぐってジギーの母親と言い争いになり、スリップにアイロンをかけていた彼女の横顔をピストルで撃ち飛ばした。そして、直接は知らないけれど、話には聞いていた人々の名。「エルヴィス」もみあげの、グライムズの姉を殺したという噂のベニー・ベドウェル。マフィアの殺し屋たち。銀行強盗たち。麻薬中毒者たち。変質者たち。死刑囚監房に入れられた殺人犯たち。寝床に横になった彼らが、耳を澄まして起きているのを、エディは感じることができた。眠れぬことがもたらすぴりぴりした気分を感じとることができた。そして、自分がこうやってマニーと壁の外を歩いているいま、パンチョがあの連中に混じって横になっているのだった。

二人は立ちどまり、いままで何度もそうやっていたように、一緒に叫んだ。「パンチョ、パンチョォォォォォォ」——子供のころ、玄関のドアをノックすることを禁じられているわけでもないのに、舗道からたがいの部屋の窓に向かって呼びかけたときと同じように、おしまいの母音を長く引き伸ばして。

「パンチョ、俺たちはここにいるぜ。よお兄貴、俺とエディとでさ」とマニーが叫んだ。「頑張れよ、なあ、俺たちお前のこと忘れちゃいないからな」

誰も答えなかった。二人は先へ進み、少し歩いてはまた立ちどまった。ほとんど毎晩こんなふうだった。

「どの建物にいるかさえわかったらなあ」とエディが言った。

いくつも並ぶ煉瓦造りの建物の、上のほうの部分が、壁の向こうに見えていた。鉄格子の窓に薄暗い明かりがともっていた。真っ暗になっていることは絶対になかった。屋上の照明灯が、煌々と下を照らしていた。

「工場みたいだよな」とエディが言った。「きっとさ、ウェスタン・アベニューのハーベスター鋳造所を設計した奴が、こっちも設計したんじゃないかね」

「お前、軍隊に入るのとあそこに入るのとどっちがいい？」とマニーが訊いた。

「俺があんなとこに入れられるもんか」とエディは答えた。

それはパンチョが狂っていることを踏まえた返答だった。裁判の終わりに、裁判長がパンチョに選択の余地を与えたときのことだった。

「お前は真面目そうな若者だ」と裁判長は言った。「そういう若者を刑務所に入れるのは、私としても忍びない。今後お前はどういう人生を歩むつもりかね？」

「聖画カードのモデルになります」とパンチョは言った。「聖ヨセフが俺の専門でね」。被告席に立ったパンチョは、与えられたネクタイをインド人のターバンみたいにぐるぐる頭に巻いていた。黒いサテンのジャケットの背中には、十二宮の絵が描いてあった。

「お前がまっとうな道に戻るチャンスを与えてやろう。自尊心を取り戻す機会をだ。裁判所としては、自主性や愛国心の表われを、非常に好意的に考える。たとえば軍隊に入るなどというのは非常によろしい」

「俺は船長《カピタン》さんだよ」とパンチョは答えた。

「軍隊か監獄か、どっちだ?」

「俺は船長さん、ソイ・カピタン、カピタン」とパンチョは「ラ・バンバ」のメロディーを小声で口ずさみながら言った。

「このろくでなし」

マニーは三週間に一度面会を許された。回を重ねるたびに、パンチョの様子はどんどん悪くなっていった。ひどいときには、マニーが誰なのか、ほとんどわかっていないみたいだった。面会時間中ずっと、顔をそらしたまま、目も合わせようとしないのだ。泣き出すこともあった。はじめのうちしばらくは、近所の様子をしきりと知りたがった。でもやがてそれも訊かなくなった。マニーのほうから近況報告をしようとしても、ぴりぴり苛ついて、黙りこくってしまうのだった。「外の話は聞きたくないね」とパンチョはマニーに言った。「自分で戻れるようになるまで、あっちの世界のことは思い出したくないんだよ。ここにいると、あんまりたくさん思い出しすぎて、頭が変になっちまう。俺は全部忘れたいんだ。俺なんかどこにもいなかったみたいにね」

「指の爪がなくなっちまってるんだぜ」とマニーはエディに言った。「鼠みたいにガリガリ嚙むもんだからさ。おいおいいったいどうしたんだよ、て訊いても、『俺は地獄にとじ込められてる、俺の守護天使がいなくなっちまった、俺は運が尽きちまった』――そんな馬鹿らしい科白ばっかりさ。こないだ面会に行ったときなんか、『自殺したほうがマシだぜ、連中にこれ以上殴られるくらいならな』

なんて言うんだ」

「信じられないよなあ。パンチョがあそこにいるなんて、ほんとに信じられないよ」とエディが言った。「あいつはさ、どっかの修道院にいるべきなんだよ。司祭になってるべきなんだよ。あいつには天職ってものがあったんだ」

「あいつの天職は侍祭の坊やだったんだよ」とマニーは吐き捨てるように言った。兄のことを悪く言ってしまって、自分の言葉に嫌悪しているみたいな口調だった。「尼さんだの司祭だのが兄貴の頭をメチャクチャにしちまったんだ。あいつはね、侍祭さえやってられりゃ幸せだったんだよ。一生侍祭をやらせてやってたら、いまも幸せだったはずなんだよ」

名前のない通りを半分くらい来たころには、細かい霧雨が降り出していた。マニーがスペイン語でわめいていた。「エスタモス・コンティゴ・エルマノ！　サン・ロベルト・クレメンテ・アユダラ！（俺たちあんたと一緒だぜ、兄貴！　聖ロベルト・クレメンテの御加護もあるさ！）」

二人は「ラ・バンバ」をやり出した。エディもスペイン語で歌った。歌の意味はよくわからなかったけれど、その響きは快かった。「ヨ・ノ・ソイ・マリネロ、ソイ・カピタン、カピタン（俺は水兵じゃない、船長さんだぜ）、アイ、アイ、バンバ！　アイ、アイ、バンバ！」。生まれてからずっとスペイン人の近所で暮らしてきたので、自然とスペイン語の言葉を覚えることもよくあった。たとえば「フイロタ」。みんなして鉄橋の下で鳩をパチンコで撃っていたときに、鳩のことをマニーがそう呼んだのだ。エディにはそれが完璧な言葉に思えた。その一語のなかに、鳩がクークー鳴く声と、その翼が立てる口笛のような音が両方とも聞こえる気がした。そういう言葉はポーランド語ではまるで思いつかなかった。ポーランド語は小さいころ祖母が自分に向かって話すのを聞いていた。みんなの話では、エディ自身もかつてはそれが話せたということだった。

午前零時をまわるころ、二人はルートの終わりにたどり着き、街灯も名前もない通りを離れた。線路は道が終わってもなおつづき、砂利に埋もれた転轍機を越え、カーブを描いて伸びていた。それを渡って、26番通りの街灯の下で見ると、刑務所の壁は錆びだらけに見えた。ひび割れからは水がにじみ出ているみたいだし、壁のてっぺんでぐるぐる輪になった鉄条網も、濡れた光を浴びて錆びついて見えた。線路も錆びついて見えた。雨が一夜にしてあらゆるものを錆びつかせているみたいだった。二人は26番通りの角で立ちどまった。そこには古い貯氷庫が、名前のない刑務所の通りに向きあって建っていた。貯氷庫の前に自動販売機が置かれていて、いまでも氷を買うことができた。自分でも気づかないうちに、エディは息を止めていた。まるで、かすかに鼻をつくアンモニアの臭いがいまも嗅ぎ取れるかのように。でも、貯氷庫の屋根についたよろい窓の放熱ファンがかたかた音を立てながら蒸気の雲を吐き出すのをやめてしまってから、もう十年以上経っていた。

「パドレシートォォォ!」二人は声を張り上げた。

彼らの声が、壁にはね返って戻ってきた。

貯氷庫の角で、まるで誰かを待っているみたいに、彼らは立っていた。その角からは、26番通りをずっと遠くまで見通せた。暗い道が五ブロックつづき、それからケジー・アベニューでネオンが炸裂し、タコス屋や酒場が何軒も並ぶ。通りごと電気を通したようなまぶしさ。街路全体がピンボール・マシーンのように華やかに点滅し、車の流れが雨のなかをこっちへやって来る。

街灯の光が波打ち、ちかちかと点滅した。

「おい、見えるか？」とエディが訊いた。「昔はさ、街灯がちかちか点滅するのは、誰かが電気椅子でフライにされたしるしだって言ったもんだぜ」

「馬鹿らしい」とマニーが言った。「コンパドレ、ノ・テ・ラヘス！」と彼は壁に向かってどなった。

「何て言ったんだよ？」

「英語で言うと違って聞こえちゃうんだよ」とマニーが言った。「『代父さま《ゴッドファーザー》、あきらめないで《ドウ・ノット・ギブ・アップ》』。古い歌の文句だよ」

エディは26番通りの中央に歩み出て、霧雨のなかに立ち、双眼鏡でも持っているみたいに両手を丸め、ケジー・アベニューの方を向いて目を凝らした。ずっと向こうの信号が緑に変わるのが見えた。酒場から音楽が聞こえてくるような気さえした。あそこだったら、マニーが一緒なら、身分証明書を見せろなんて言わずに酒を出してくれるはずだ。「お前、ひょっとして喉、乾いてないか？」と彼は訊いた。

「お前、ひょっとしておごってくれるのか？」とマニーはにやっと笑って言った。

「ブエナス・ノーチェス《おやすみ》、パンチョ」と彼らは叫んだ。「また明日な」

「おやすみ、あんたら《グッド・ナイト・ガイズ》」と壁の向こうから裏声が返ってきた。

「あれはパンチョじゃないぜ」とマニーが言った。

「プラターズの昔のレコードみたいな声だな」とエディが言った。「パンチョのこと知ってるかどうか訊いてみろよ」

「おーい、あんた、パンチョ・サントラって奴知ってる？」とマニーが呼びかけた。

「オー、パンチョ？」とその声は訊ねた。

「そう、パンチョ」

「オー、シスコ！」と声が叫んだ。そいつがくっくっと笑っているのが聞こえた。「ヘイ、ベイビー、パンチョなんて知らんね。この匂いは雨かい？」

「雨、降ってるよ」とエディがどなった。

「ヘイ、ベイビー、ちょっと訊きたいんだけどさ。そっちは今夜どんな具合だい？」

マニーとエディは顔を見合わせた。「さいこー《ビューティフル》だよ！」と二人は一緒に叫んだ。

哀しみ

死者のミサ《レクィエム》が行なわれたわけではない。でも、春が近づき四旬節が訪れるころには、どういう形であれパンチョがあっちへ行ってしまったことをみんなが知っていた。花輪はなくても、噂はたっぷりあった。パンチョは独房で首をくくった。シャワー室で喉をかき切られた。囚人仲間を殺して、カンカキーの精神病棟で薬づけになっている。日和って軍隊に入り、かつて絶対に戦わないと誓ったはずの戦争に送り込まれたという説もあった。密告者になり下がり、ひそかに新しい名と身分を与えられて、よその町に送り込まれた。模範囚になって裁判所の前の芝を刈っている最中にふいと出ていってしまい、メキシコに逃げたか、あるいは単に町の反対側の北側《ノース・サイド》に移った。ディバーシーあたりのSMバーをはしごすれば、パンチョと同じ侍祭の目をした人物が、女の子のメーキャップでその目を包み、じっと前方を見つめている姿が見られるという話だった。

夜遅く、幽霊のように近所をさまようパンチョを見かけた者もいた。襟を立てて、教会の裏手で、常灯明の蠟燭をともす姿。あるいは、黒いマントをかぶった顔が、油で汚れた高架電車の窓に浮かんだと思ったら、もう次の瞬間には通り過ぎていた。

噂はやがて伝説となっていった。でも通夜が行なわれたわけではなかった。死亡記事も出なかった。ただ単に消えてしまった人間をどう弔《とむら》ったらいいのか、誰にもわからなかった。

しばらくのあいだ、マニーも消えた。何も言わなかったし、エディも訊かなかった。刑務所の壁のまわりを歩くのも、もう何か月も前にやめていた。クリスマスのころに、パンチョが誰にも会おうとしなくなってからだ。マニーが会いにいってもだめだった。でもそれ以前から、彼らの夜の彷徨は先細り気味になっていた。

二人で壁の前を歩いたいちばん最後の夜のことをエディは覚えていた。十二月だった。ケジー・アベニューでクリスマス・ツリーを売るバイトをして、ゴミ缶の焚き火のそばにずっとつっ立っていたものの、体はこちこちに冷えていた。十時ごろ、仕事も終わって、マニーがやって来た。凍りついた体を暖めようと、二人でカルタ・ブランカに寄った。ホセという男が彼らにウィスキーを何杯もおごってくれた。午前零時をまわってから、吹雪のなかに二人はくり出していった。

「見ろよ、真っ白だ、馬鹿らしいったらねえぜ」とマニーが言った。

26番通りを歩いていって、彼らは立ちどまり、雪玉を壁の向こうに投げ入れた。次に、そこに立ってクリスマス・キャロルを歌うことにした。雪が壁の方に吹き寄せられ、もともと存在しないも同然の通りを完全にかき消していた。マニーが沈黙に向かいかけていることにエディは気づいていた。キャロルを二言三言、精一杯の大声で歌ったかと思うと、まるで歌で息が詰まったみたいにぷっつりやめてしまうのだ。大声で笑っても、目は怒ったままだった。何を見ても馬鹿らしい《ブルシット》の一点張りだった。とうとう、さすがにエディもつきあいきれなくなってきた。降りたての雪を踏みわけるようにして刑務所から立ち去りながら、エディは言った。「おい、こんなことずっとやるんだったら、俺にはブーツが要るぜ」

「やらなくたっていいんだぜ」とマニーがきつく言い返した。「誰もお前に来てくれなんて頼んじゃいない。お前の兄貴じゃないんだからな」

「俺はただブーツが要るって言っただけだよ」

「もう望みはないってお前は言ってんだよ。お前にとっちゃ、いつだって何だって望みはないんだ」

「おいおい、醒めてるのはいつもならお前のほうだぜ」とエディが応じた。

「俺は自分が醒めてるなんて言った覚えはないね」とマニーが口ごもって答えた。

その後のエディの生活は、あまりぱっとしたものではなかった。ふたたび学校をドロップアウトし、トラックの荷積みの夜勤をやっていた。あと一学期行ったってどうってことないもんな、と彼は思っていた。それに新しい服も要る。カウボーイブーツや、グリーンの革ジャケットも。雪に代わって小雨が降る季節になり、気温もいくぶん上がってきていた。復活祭も近づいていたが、まだ早春というところだった。マニーは一人でぶらぶらしているという話だった。相変わらず何もかもを馬鹿らしいと罵倒しているらしかったが、それが前よりもっとひどくなっていて、道を歩いている最中にもぶつぶつ呟いているということだった。気の触れた文句屋の年寄りや、よく建物に向かって福音を説いたりポスターや広告板やネオンサインや信号や通りがかりの車を相手に説教している黒人みたいに、馬鹿らしい、何もかも馬鹿らしい、とやっているらしかった。

復活祭を直前に控えた火曜日のことだった。教会内の聖像にすみれ色の布が掛かっていた。エディはグリーンの革ジャケットを羽織って、仕事へ行く前にマニーの家に寄った。玄関のベルを鳴らしてから、雨の降る舗道に出て、マニーの部屋の窓の下に立ち、車の流れを眺めていた。

しばらくして、マニーが階段を下りてきて、乱暴にドアを開けた。

「よう、元気か?」エディは道で偶然ばったり会ったような調子で訊いた。

マニーは彼をぽかんと見つめ、「そのジャケットひったくるのに、どのくらい追っかけた?」と言った。

「気に入ると思ってたよ」とエディは言った。

その夜、真夜中を過ぎてエディの仕事も終わってから、二人はビールを一杯やりに出かけたが、結局酒場へは行かずに、あたりをぶらぶらさまよった。マニーがさっき巻いたマリワナを持って、カリフォルニア・ブールバードを歩きながら、彼らは御灯明の行列のように通り過ぎていくヘッドライトの流れを眺めた。マニーはまだ口が重かったが、会話の代わりという感じにエディとマリワナをまわしあっていた。31番通りと交わる、隔離病院近くの交差点まで出ると、このままブールバードのカーブに沿ってウェスタン・アベニューの橋の方に行くんだろうとエディは思ったが、マニーはまるでいつもの習慣といったふうに角を曲がり、刑務所に向かって歩き出した。

二人はふたたび壁に沿って歩いていた。壁の下のほうに、冬の氷がまだ残っていた。

「シカゴじゅうでこの通りだけはまだ冬」とエディが呟いた。

「さんざんわめいたときのこと、覚えてるか？」マニーが囁くように訊いた。

「もちろん」とエディがうなずいた。

「呼びかけたり、冗談言ったり、祈ったり、クリスマスソング歌ったり、あの夜のこと覚えてるか？　ものすごく寒かったよな？」

「うん」

「まったくアホだよな、馬鹿らしいよ、な？」

また「馬鹿らしい」がはじまったかと、エディは気が気でなかった。マニーは立ちどまって壁を眺めていた。

やがてマニーは両手を丸めて口にあて、どなった。「おーい！　そこにいるアホたれども！　聞こえるか？　おーい、起きろ、黒いの、おーい、スペ公、おーい、白んぼ、檻のなかの猿ども、おーい！　俺たちゃこっちで自由なんだぞ！」

「おいマニー、落着けよ、なあ」とエディが言った。

マニーは手を口から離し、首を横に振って、にっこり笑った。二人は二、三歩歩き出したが、そこでまたマニーがくるっと回れ右した。「俺たちゃこっちで自由なんだぞ！　お前らうすら馬鹿がそこにいるあいだに、マリワナやったり、冷えたビール飲んだりしてんだぞ！　俺たちこれからお前らの女房にファックしに行くんだ！　お前らがそこでセンズってるあいだに、お前らのガールフレンドが俺たちに尺八やってくれるのよ！　ヘイ、俺なんかいまここであんたの彼女と一発やってるんだぜ！　バックがいいわだってさ、あんたと同じだぜ！」

「おい、よせよ」とエディがおろおろと言った。「もうやめとけって」

マニーは肺が破れんばかりの大声を上げていた。何を言っているかもよくわからなかった。卑猥な言葉を、思いつくまま片っ端から叫んでいた。そして声たちが、いままで聞いたこともなかった声たちが、壁の向こうから叫び返しはじめた。

「黙れ《シャダップ》！　黙れ！　黙れそこのアホんだら！」

「お前らが檻の格子ごしにオカマ掘りあってるあいだに、こっちじゃ彼女が俺のタマをなめてくれてんだぜ！」

「黙れ！」と声たちがわめいた。それから、ほかの声たちよりもずっと大きな声が叫んだ。「ぶっ殺してやるからな、糞ったれ！　俺が出たらお前あの世行きだぞ！」

「出られるもんなら出てきやがれ」とマニーがどなった。「ここまでおいでってんだ、人間のクズ、ボンクラのろくでなし、糞まみれのオカマ、ヘンタイ、てめえらみんないい目見そこなってんだぞ、お前らの人生なんて残飯の山よ！」

いまやそれらの声はあまりに多く、とうてい聞き分けられなくなっていた。階という階、建物という建物が、声を張り上げ、悪態をつき、嚇かしながら、黙れ《シャダップ》黙れ《シャダップ》黙れ《シャダップ》と呪文のように唱えていた。

やがて、監視所のサーチライトがゆっくりと回転し、街路を照らした。

「逃げよう」とエディは言って、マニーの裾を引いた。そしてマニーを引きずっていき、ライトに照らされぬよう二人で壁にぴったりくっついた。それから彼らは駆け出した。道端に積み上げられた汚い氷の山に沿ってよたよたと進み、でたらめな角度に伸びた発育不全の木々をよけながら、26番通りめざして走った。やがてエディの耳にサイレンの音が聞こえた。

「おい、こっちだ」とエディはあえぎながら言い、マニーをぐいと引っぱって名前のない通りに引き返した。水たまりを飛び越え、線路を飛び越え、もう使われなくなった積み下ろし台のあいだの狭い通路にもぐり込んだ。その数秒後、パトカーが、青いドームライトを回転させながら目の前を疾走していった。

二人は積み下ろし台の裏をとぼとぼ走り、貯氷庫の裏手まで来てようやく立ちどまった。マニーがぜいぜいあえぐ息は、まるで笑っているみたいに聞こえた。自分のヘマで怪我をした人間が、無理に笑ってみせているような感じだった。

「あのアホたれどもにゃほんとに頭に来るぜ」とマニーは息も切れぎれに言った。「あいつらみんなだよ、おまわりも、看守も、壁も、壁の向こうのろくでなしどもも。まったくみんな頭に来るぜ。だから俺は醒めちまうんじゃないかね、なあエディ？　あいつらほんとにみんな頭に来るぜ」

次の夜も、二人は出かけていった。

一度だけなら罪にならない行ないもある——そもそも罪なんてものがあるとしての話だが——とエディは考えた。二度やってしまうことで、それが罪になるのだ。偶然とか、ちょっとした過ちとかは、一度なら許してもらえる。それをくり返すことによって、掛け値なしの悪業になる。次の夜に出かけていきながら、エディはそんなことを考えていた。

お前が来ても来なくても俺は行く、とマニーは言った。それでエディも行くことにした。マニーを一人にしておくのが心配だったのだ。でもエディは、昨夜の出来事のせいで、仕事前もろくに眠れなかった。壁の背後でわめき叫ぶ声が、いまも彼の耳で鳴り響いていた。連中がみんな電気椅子にかけられる夢も見た。犯した罪の重さに応じて、一人ひとりじわじわと電気を通されるのだ。電流が流れ、街灯がちかちか点滅するたびに悲鳴が上がった。火の代わりに電気を使う、新式の地獄。

水曜日の夜、壁を前にして暗い通りにふたたび立っていると、悪夢のつづきを見ているような気がした。マニーは我を忘れ、夢中で罵声を張り上げていた。悪態や侮辱の言葉をつぎつぎに投げつけ、檻に入れられた番犬を子供がからかうみたいに、壁の向こうにいる連中を挑発していた。まもなく、刑務所の西側にいる連中全員が吠え返してるんじゃないかと思えるくらいの、何ともすさまじい咆哮がわき起こった。看守たちがサーチライトで道路を隅々まで照らし、甲高いサイレンの音が31番と26番の両方から近づいてきた。

今回は二人は線路に沿って逃げ、川の方に伸びたそのカーブをたどっていった。闇のなか、廃品置場になった土手沿いを走り、停泊中の荷船の錆びついたケーブルに足を引っかけながら、消防車の墓場を通り抜けてなおも線路を進み、かつてみんなで鳩を撃った黒ずんだ鉄橋を渡っていった。その鉄橋からは、目の前の工場の向こうにひろがる工業地帯のさらに先の、都心の高層ビル群まで眺めわたすことができた。山の頂が蛍光でも発するみたいに、靄のかかった春の夜のなか、摩天楼がぼうっと光っていた。マニーとエディは鉄橋の真ん中まで来て走るのをやめ、手すりに寄りかかって一休みした。

「何だか子供のころより都心《ダウンタウン》が近くなったな」とマニーが息をはあはあいわせながら言った。

「この線路に沿ってけば行ける」とエディがぼそっと言った。「湖のほとりの、道路下の操車場までね」

「何でそんなこと知ってるんだ？」

「中一のころ、みんなでよく貨物列車に乗ってあそこまで行った」。エディの声はひどくひっそりとしていた。顔も横を向いていた。

「俺はさ、たいていバスに乗るもんでね」とマニーが冗談めかして言った。

「俺、明日はもう行かないからな」とエディが言った。「もう二度と、お前とは行かない」

その言葉が聞こえなかったみたいに、マニーはなおもじっと都心の光の方を見つめていた。「オーケー」しばらくしてやっと彼は言った。降参するような、自分自身に向かって言っているような口調だった。「オーケー、明日は俺たち何かほかのことをするってのはどうだ？」

郷愁

二人はもうそこに行かなかった。

翌日、木曜日の夜に、エディは寝過ごして、体の具合が悪いから休みますと勤め先に電話を入れた。そしてもう一眠りしようとしたが、何度やってみても、刑務所の壁の向こうで声たちが叫んでいる浅い夢に落ち込んでしまうのだった。とうとうあきらめて、ベッドを出て窓を開けてみた。外は暗かった。知らないうちに一日が終わっていた。今夜が昨夜のつづきのように思えた。昨夜もその前の夜のつづきのように思えた。寝ざめの悪い夢によってすべての夜が結びつき、それぞれの夜が、同じ一つづきの夜の一断片になっていた。

ある時点で、エディは口に出してそう言った。「何だか一回の夜がずっとつづいてるみたいだな」。そしてマニーもあとで、ふと自分で思いついたような口調で、同じことを言った。

そもそものはじめから、二人はハイになっていった。クスリのまわった頭で、高架鉄道の下をあてもなくさまよった。エディなどは、しばらくのあいだ、自分たちがもうマニーの家の玄関の階段に座っているのではないことにも気づかないくらいだった。エディが訪ねていったとき、マニーは階段に腰かけて車の流れを眺めながら、アンフェタミンを垂らしたギャローワインのボトルをちびちびやっていた。

窓を開けてカーラジオをガンガン鳴らしている車が、飛ぶように通り過ぎていった。まるで夏の夜みたいな音だった。

「お前、そんなジャケット着てて暑くないわけ?」とマニーが訊いた。

「そう言やそうだな」とエディが言った。汗をかいていた。

エディは革ジャケットを脱いだ。それから、マニーにも手伝わせて一方の袖口にハンカチを縛りつけ、ギャローのボトルを袖のなかに滑り込ませた。彼らはマリワナをまわしながら高架のガード下を歩いていった。二車両しかない列車が、頭上をごとごと通過していった。

「で、俺たち何してるわけ、エドゥアルド?」とマニーが何度も訊いた。

「歩いてる」とエディが言った。

「俺さあ、何かやりたいんだけどな、わかる?」

「俺たち何かやってる」とエディは言い張った。

エディが先頭に立って、二人は22番のココナッツ・クラブまで行った。どうせなかには入れないが、エディは、棕櫚の木がネオングリーンに光り、青いココナッツがちかちか点滅するウィンドウが見たかったのだ。

「たぶんあれが俺のいちばん気に入ってる窓じゃないかな」とエディは言った。

「お前の愛する窓を見せられに俺はわざわざここまで連れてこられたわけ?」とマニーが言った。

「青いココナッツがさ」とエディは説明しようとした。口は乾いていたが、喋るのをやめることはできなかった。子供のころから窓を集めていたことを、彼はマニーに話して聞かせた。でも口に出してみると、自分でも、何だか実際以上に大げさな話になってしまう気がした。窓を集めているということを、年じゅうはっきり意識しているわけではなかった。バスに乗っていて、ふとある店の窓が目にとまる。たとえばハルステッド通りの、子羊の頭蓋骨がピラミッド状に積んである、ギリシャ人の肉屋のウィンドウ。エディは心のなかでそれを写真に撮るのだ。街じゅういたるところに、思い入れのある窓があった。そうやってエディは、頭のなかで街をひとつにまとめていたのだった。

「高架からいろんな窓が見えるだろ」とエディは言った。「ばあちゃん《ブーシャ》のとこに遊びに行くときとかさ。いまでも覚えてるけど、ある建物でね、カーテンの代わりにスリップを吊るしてるんだよ。黒いスリップ、白いスリップ、赤いスリップ。夜になると、胸のレースごしに、電球の光が透けて見えるんだ。あそこにはジプシーが住んでるんだって、ばあちゃんは言ってた」。エディは道路の真ん中を歩いていた。ジャケットを肩に引っかけ、喋りながら、ジプシーを探すみたいに家々の窓を見上げていた。

「お前そのうち、覗き見でとっつかまるぞ」とマニーが笑って言った。「なあエドゥアルド、つかまったらお前、いえ僕にとって窓とはかくかくしかじかでして、なんて余計なこと言うんじゃないぞ」

二人はスポールディングを下り、26番の方に戻っていった。街灯の光がどんどん明るくなっていった。マニーはサングラスをかけた。生暖かい微風が吹いていた。二人はシャツを脱いだ。通りの反対側で、鼠たちが道端を走って排水溝に飛び込んでいくのが見えた。二人はまたシャツを着た。

「こういう古いビルを壊し出すと、鼠が暴れるんだよな」とマニーが言った。

早春の訪れとともに、クレーン車や解体鉄球がふたたび姿を見せていた。都市再開発計画を告げる看板もあちこちに復活した。二人は板塀で囲まれた工事現場のまわりを歩いた。開いた消火栓から出てくる水が、道端の溝をちょろちょろと流れ、煉瓦の粉や瓦礫を排水溝のなかに洗い流していた。

「おい、この匂いわかるか？」とマニーがにわかに活気づいて言った。「消火栓から湖の匂いがするぜ」

「俺には錆びの匂いに思えるがね」とエディが言った。

「魚の匂いがする！　ワカサギだ――ワカサギが帰ってきたんだよ！　消火栓からワカサギの匂いがする！」

「ワカサギ？」とエディが言った。

「お前、ワカサギ食ったことないの？」とマニーが訊いた。「ちっちゃい、銀色の魚だよ！」

彼らは26番通りを東に走る、湖岸行きのバスに乗った。みんながポーランドの西風と呼んでいるルートのバスだ。バスの後部には誰も乗っていなかった。左右に揺れる細長い後部座席に二人は座って、エディのジャケットの袖に隠したボトルを代わりばんこに飲んだ。

「いつもならもっと先なんだけどさ、今年はもう戻ってきたんだよ、エドゥアルド」二人でこれから釣りに出かけるみたいな調子で、マニーが何度も請けあった。

エディはうなずいた。ワカサギのことなんて、何も知らなかった。いままで食べたことのある魚といったって、缶詰のツナぐらいだ。でも窓の開いたバスに乗ってどこかへ行くのは気持ちがよかった。それにマニーも昔のマニーに戻りかけていた。自信を取り戻し、気楽に笑っている。エディはまだ喋りつづけていたい気がしたが、クスリのせいで奥歯がぎいぎい軋んだ。

バスはがたごと揺れながら、暗い街を通ってケジーを越え、貯氷庫と刑務所にはさまれた狭い道を飛ぶように過ぎていった。でもエディとマニーの目は、バスのうしろの窓から一瞬、名前のない通りに沿ってカーブを描く線路の姿を捉えた。線路には煙を立てている赤い安全灯がずらりと並び、コンクリートの壁に赤い影を投げていた。それらの安全灯が自分たち二人のために置かれたものと、エディは信じて疑わなかった。

彼は目を閉じ、バスの揺れに体を沈めていった。目をつぶっていても、壁に映った赤っぽい輝きを見ることができた。眼窩の奥に、その輝きが焼きついていた。壁は夢で見たときと同じように見えた。二人は黙ってバスに乗っていた。

「何だか一回の夜がずっとつづいてるみたいだな」バスに乗っている最中に、どこかでエディがそう言った。

湖岸に着いたころには、彼のあごはいっそう激しく軋み、両脚は重力を忘れてしまっていた。時間もわからなくなっていたが、たぶん午前三時か四時ごろだったにちがいない。ワカサギ釣りの人たちはまだそこにいた。彼らの灯したランタンの光が、防波堤沿いの、艶やかな黒い湖水に映っていた。桟橋の下で水がぴちゃぴちゃいっているのが聞こえた。釣り人たちがいろんな言語で、ぼそぼそ小声で喋っていた。

「俺の叔父さんのカルロスはさ、魚と話をしたんだぜ」とマニーは言った。「冗談ぬきでさ。スペイン語で魚に話しかけるんだ。それしか喋れなかったからね。アメリカでずっと暮らしてて、最後まで英語ができなかった。英語を話すと脳味噌が詰まっちゃうんだって言ってたよ。俺たち、しょっちゅうここに釣りに来てたんだ。ワカサギ、パーチ、何でも釣った。学校サボッて叔父さんについて来たんだよ。釣れないと、叔父さんが連中に向かって話をしたり、歌を歌ったりするのさ」

「歌?」とエディが言った。

「出まかせで歌うんだよ。おもしれえんだ、それが。英語にすると違っちゃうんだけどね——『ちっちゃな銀色のお魚でおいらの靴は満員。海の魚に焦がれて我が心寂しきかな』。てな感じのをすごく改まった調子で歌うわけよ。叔父さんはいつもこの湖を海って呼んでた。湖だよ叔父さん、て俺がいくら言っても、全然聞かないんだよな。ほんとに頑固でさ。あんまり頑固なんで英語も覚えなかったくらいでさ。叔父さんがメキシコに帰っちゃって、俺もそれ以来一度も釣りしてないな」

二人はいったん波止場の先端まで歩いていき、それからまた、釣り人たちを横目に見ながら引き返した。釣り人の大半は老人で、指のあいだにはさんだ糸を悠々とたぐり寄せ、水中で凧でも上げているみたいに網を引き揚げて、網にかかった、くねくねと体をよじらせている銀色の魚をつかみ取っていた。ランタンの黄色い光が、ぴかぴかの鱗にきらっと反射した。

「な、言っただろ、戻ってきてるって」とマニーが言った。

二人はコンクリートの突出しに腰かけて、暗い水をじっと見つめていた。だらんと垂らした足の下で、催眠術でもかけようとするみたいに、水がゆらゆらと揺れていた。

「飛び込んでみるか?」とマニーが訊いた。

エディはちょうどボトルを口もとに持っていったところだった。マニーの問いを真剣に考慮するかのように彼はその手を止め、それから首を横に振って、ぐいと一飲みした。

「叔父さんがメキシコに帰るすぐ前のことだけど、俺たちパーチの夜釣りにここへ来た」とマニーが言った。「ものすごく暑い夜でさ、な？　こういう年寄り連中が波止場にずらっと並んで釣ってるわけよ。それが誰も全然釣れてない。で、俺は思ったんだよ、水に飛び込んで魚の仲間に入ったら、さぞ涼しくて気持ちいいだろうなってね。すると、俺はもう、べつに決心したとかそんなんじゃなくて、ただあっさり飛び込んじゃったんだよ。服も何も着たままね。水に潜ったときの感じを、いまもときどき思い出すな。そのままずっと泳いでられるような気がしたんだよ。空気も要らない、水の上に出る必要もない、そんなふうに思えたんだよな。そのうちさすがに苦しくなってきたんで、水面に出た。そうしたら叔父さんが俺の名前を呼んでいるのが聞こえた。それから、波止場にいる爺さんたちがみんなで俺の名前を呼んで、戻ってこい、って言ってるのも聞こえた。でもそのとき俺は、連中の声が聞こえないくらい遠くまで泳いでいきたかったんだ。奴らのランタンが見えなくなるくらい遠くまでね。太陽が出てくるときに、湖の真ん中にたった一人でいたいって思ったんだよ。でもその瞬間、波止場に立って俺を呼んでる叔父さんのことが頭に浮かんで、引き返すことにしたんだ」

コンクリートの突出しに腰かけて、二人はボトルを飲み干し、壜を湖に捨てた。それから高架に乗って町に帰った。あたりはだんだん明るくなってきていたが、日はいっこうに出てこなかった。高架の窓に雨の筋が走っていた。ダグラス・アベニューの駅も湿っぽい匂いがした。暗い朝だった。本当ならそこで終わりにしておくべきだっただろう。だが二人は、マニーの家のキッチンテーブルに座って、インスタントコーヒーに缶詰のミルクを入れて飲んだ。マグのなかでミルクが描く渦巻やら雷雲やらの模様に、エディは何度も見とれた。頭はぼうっとして、体がぶるぶる震えた。あごが痛かった。

「一気に切れてきたな」と彼はマニーに言った。

「これ飲めよ」とマニーが言った。「降りてくるのが楽だぜ」

「降りるクスリは嫌いなんだ」とエディが言った。

「クエールードだよ」とマニーが言った。「パンチョが貯め込んでたんだ」

二人は長いあいだ、テーブルに向かいあわせに座り、記憶や秘密を語りあった。もっともエディは、頭がぼうっとして、自分たちが何を言っているのかもろくに覚えていられなかった。彼らの声は――マニーの声だけでなく自分の声も――外から出ているように聞こえた。彼の心の中心から遠く離れたところから。

ある時点で、マニーが外の暗い朝に目を向けて、「まだ昨日の夜のつづきみたいな感じだな」と言った。

「それは言える」とエディが同意した。もっと何か言いたかったが、どう言い表わしたらいいのかわからなかった。わざわざ言葉を探す気もしなかった。エディにしてみれば、話の内容はどうでもよかった。かりにマニーがスペイン語を喋ってたって構いやしない。俺がポーランド語を喋ってたって構わない。そんなのはどうだっていい。大事なのは、こうやって一緒に座ってることなんだ。クスリで朦朧としてるのに二人とも頑張って起きていて、雨混じりの光が窓を打つのを眺めていることが大事なんだ。そしてもう一度外に出て、傘から水をしたたらせて教会へ向かう人々とすれ違いながら、プラハ・ベーカリーまでねじりドーナツ《ビスマルク》を買いにいくことが。

「日曜日みたいだな」とマニーが言った。

「今日は金曜だよ」とエディは言った。「聖金曜日だ」

「頭に灰をかけたおばさん連がバス待ってるとこ、おとといあたり見たっけな」とマニーが言った。

二人は雨を避けてプラハ・ベーカリーの入口に立ち、ビスマルクを齧《かじ》っていた。教会のすぐそばにあるので、ベーカリーはミサを終えた人々が立ち寄るルートになっていた。ウィンドウには色をつけた卵や、粉砂糖をまぶした小さなイースター・ラムが飾ってあった。

「ある年の灰の水曜日にさ、俺がビスマルクを食ってたら、パンチョが粉砂糖で俺の額に十字架を書いたんだ。まるっきり灰で書くみたいな感じにね。で、教会に行ったら、司教さまときたら俺に本物の灰をくれないんだよな」と言ってマニーはにやっと笑った。

マニーがパンチョのことを口にするのはすごく珍しかった。外の空気に触れて、エディの頭もキッチンにいたときよりすっきりしていた。

「俺も小さいころは、灰を聖金曜日までつけてようと頑張ったんだけどさ」と彼は言った。「洗い落としなさいって言われちゃうんだよな」

教会の鐘が鳴っていた。そのこだまが、雲の天井に当たってはね返ったみたいに、舗道に落ちてきた。町全体が、上から圧縮されたかのように、妙に狭く感じられた。

「なかは変わってないのかなあ」教会の前を通りかかったときにマニーが言った。

二人はなかに入り、入口広間に立った。子供のころに見た聖人たちが、紫の衣に包まれて立っていた。聖金曜日なので、祭壇は装飾が外され、がらんとしていた。老婆たちが、新しい祈禱書を無視して、ポーランド語で連禱の文句を唱えていた。

「変わっとらんねえ」退散しながらエディが小声で囁いた。

雨はほぼ上がっていた。鳩たちの羽ばたきのなかに、蓄積された雨の重みが聞きとれた。

「聖金曜日はパンチョがいちばん好きだった祭日だよ」とマニーが言った。「みんなたいてい、クリスマスとか感謝祭とか独立記念日とかがいちばんいいって言うだろ。あいつは人と違ってないと気が済まなかったんだよな。覚えてるよ、兄貴に引っぱられて、教会から教会へ歩かされたもんだ。お前、そういうのやったことある?」

「あるともさ」とエディは言った。「聖金曜日のたびに自転車でまわったよ。七つ行かなくちゃいけないんだ」

べつに示しあわせもせずに、二人は聖ローマン教会から聖ミカエル教会へ歩いていった。聖ミカエルはイタリア人街にあるフランシスコ会系の小さな木造教会である。そこから今度は、聖カジミール教会へ行った。こちらは緑銅色の塔が一対ついた、どっしりといかめしい感じの建物。それから、まるで目に見えない経路をたどるように、22番を越えて北上し、聖アンナ、聖プイス、聖アダルベルトへ。はじめのうちは、ちょうどベースにタッチするような具合に、なかに入って、すぐ出るだけだった。けれども、じきに、かつて慣れ親しんだ、こまごまとした儀式の感覚が戻ってきた——入口の聖水盤に指を浸し、ほとんど無意識に十字を切りながら、入口広間に掛かった等身大のキリスト像の前を通り過ぎる。像のまわりには老婆や小学生が群がり、ブロンズの、あるいは血まみれの漆喰の足に刺さった釘に接吻しようとしている。聖アンナのあたりで、ちょうど帽子を取るような具合に、マニーが敬意を表してサングラスを外した。今度はエディがそれをかけた。目が糊づけされたみたいにちくちく痛んだのだ。ベーカリーで感じた湧き上がるようなエネルギーは、あっというまに萎えてしまっていた。マニーが祭壇の前で膝をついているあいだ、エディはうしろの方の席にだらんと座って祈るふりをし、サングラスをいいことにうたた寝をしていた。あっさり家に帰ってもよかったろうが、そんなことは思いつきもしなかった。頭はずきずき痛み、心臓がどきどき鳴っているのがわかった。そしてはっと身を起こし、マニーはどこだろう、と考えるのだった。きっとまだ教会をまわっているんだろう——せわしなく足早に、ぴりぴりした頭を抱えて、時おりこっそりアンフェタミンを補給しながら、何かを探すように教会から教会をさまよい、教区民の行列に加わって、司祭が絹布で何度も綺麗に拭いた聖宝に接吻する順番を待っているのだろう……。と、マニーがエディを揺り起こす。

「どうだ、具合は?」

「悪くないね」とエディが答え、それからまた二人で通りに出て、どんより曇った空の下を、次の教区めざして出かけていくのだった。尖塔や屋根の上で、灰色と藤色の中間の色をした雲がたなびいていた。酒場やタコス屋で照明がぴかぴか点滅していた。18番通りでは、大きな青いネオンの魚が、小ぢんまりしたシーフード・レストランのウィンドウで跳ねていた。窓のコレクションに加えるため、エディはその店の正確な位置を記憶にとどめようとした。二人は線路の下の壁に沿って歩き、聖プロコピウス教会に向かった。俺もパンチョもあそこで洗礼を受けたんだぜ、とマニーは言った。壁は小学生たちが絵を描いて、何マイルもつづく壁画のようになっていた。

「教会七つってのはちょっと無理そうだぜ、なあおい」とエディが言った。歩いていても、足は全然持ち上がっていなかった。髪は汗のような小雨に濡れ、べったり顔に貼りついていた。時刻は午後三時ごろだった。教会のなかでは一日じゅう午後三時——十字架にかけられたキリストの暗き時——だったが、いまや外も午後三時になろうとしていた。讃美歌「タントゥム・エルゴ」の古風な響きが、通りのうしろから流れてきた。

エディは最後尾の列に入って身を沈め、ひざまずいた。常灯明の赤い光を浴びると、さっきバスで刑務所の前を通ったときに見た、赤く点滅する安全灯の光が思い出された。マニーはもうすでに、十字架の道行きの行列に埋もれてしまっていた。そろそろと、足を引きずるように歩く人波が教会の周囲をまわり、それぞれの留《りゅう》で立ちどまる。侍祭の少年たちが香を焚き、司祭がキリストの苦悶を唱える。老いた女たちが、うめき声のような祈りでそれに応えた。

聖宝に接吻するために、老婆たちが大理石の通路を膝で這っていった。泣いているのも何人かいた。小学校のころ、時おり、懺悔を済ませた老婆が泣いているのを聞いたことをエディは思い出した。胸がはり裂けてしまうんじゃないかと思えるくらい、老いた女たちはおいおいと激しく泣いていた。それを聞くと、あんな年寄りの女の人に、あれほど泣かなくちゃならないような恐ろしい罪がどうやって犯せるんだろう、と子供心にも考え込んでしまったものだ。あの世界に属していた事物は、いまではほとんどすべて、変わってしまったか、なくなってしまっていた。でも老婆たちは残っていた——ポーランド人、ボヘミア人、スペイン人、人種は何だっていいのだ。女たちはみんな同じだった。黒い外套を着て、聖像が藤色の衣をかぶるようにバブーシュカをかぶり、いつも喪に服していた。胸のうちに抱えている喪失の痛みが、彼女たちの人生の核で燃えさかっているように思えた。もっともエディは、女たちがそもそも何のために喪に服しているのか、いま一つぴんと来なかった。それにまた、あんなに烈しい哀しみを、どうやって来る日も来る日も保っていられるのかも。自分ならとっくの昔にやめてしまったことだろう。ある意味では、彼は事実やめてしまっていた。胸の疼きは残っていたが、そんなのは哀しみとはいえない。それに対する名前を、彼は持ちあわせていなかった。パンチョが失われる以前から、いやそもそもまだ誰も失われていない、ほとんど記憶がはじまった時点から、エディはすでにそれを感じていた。もし哀しみと呼ぶなら、それは生きている者たちのための哀しみだった。古風な慟哭の旋律と、神秘的な言葉とが、その思いをよみがえらせてくれた。でも、その源をたどろうとし、思いに名前を与えようとすると、いつものようにそれは彼の手をすり抜けてしまい、代わりに郷愁と、かき乱された心とを残していくのだった。

ああ神さま、とエディは祈った。俺はほんとに落っこっちまってるんです。

体があまりに震えて、もはやひざまずくこともできなかった。それで彼は信者席に仰向けに寝そべり、サングラスをかけた目を閉じた。やがて教会がぐるぐるまわり出した。それを抑えようと、頭上のステンドグラスの窓に精神を集中してみた。いままでエディが思い入れを注いできた窓たちのなかに、教会の窓は一つもなかった。この窓には天使が描いてあり、宝石と石炭みたいな色をしていた。窓の向こうで午後が死にかけているように見えた。窓の向こうで午後は夜の一部になり、彼とマニーとが盟約のように二人で持続させているささやかな歴史の一部になっていくように思えた。天使のさまざまな色を通って、夜が輝きわたるのが見えた。あたかも天使がプリズムであるかのように、天使を通過した夜はいくつもの帯に分散していた。ネオンと、濡れた街灯とが、広げた翼を照らし出していた。

伝説

それは氷ではじまった。

ビック・アンテクは物語をそうやって語り出すことがあった。

夕暮れどきになると、メキシコ系の子供たちが、ドライアイスのかけらを何個か、まるで鳥でもつかまえたみたいに、大事そうに靴箱に入れてもってきた。熱い氷《ホット・アイス》、と子供たちはそれを呼んでいた。でも彼らの言い方だと、アンテクには熱い目《ホット・アイズ》と聞こえた。子供というのはいつもどこからかこういうガラクタを見つけてくるものだ。誰かがアイスのかけらに舌先を触れ、それが貼りついてしまうと「アイ!」と悲鳴を上げた。道端の水たまりで、アイスが沸騰し、湯気を立てるのを子供たちは見守った。締めくくりに彼らは、壜に半分くらい水を入れ、残ったアイスのかけらを押し込み、蓋をして、横丁の入口に置いて爆発を待った。ぽん、とそれがはじけると、子供たちは四方に散らばった。

マニー・サントラとエディ・カプスタが横丁を歩いてきた。俺たちの代わりにバディーズでラムを一壜買ってくれないか、と二人はアンテクに頼んだ。ビールじゃなくて、ラムを。お祝いなんだよ、とカプスタは言ったが、何のお祝いかは言わなかった。たぶん二人のうちのどっちかが仕事にありついたか、仕事をクビになったか、それとも学校を卒業したか、徴兵されるのを待つ代わりにさっさと自分から軍隊に入ることにでもしたんだろう。何だっていいんだ。こいつらは年じゅうお祝いをやってるんだから。サングラスをかけていても、二人が例によってハイになっているのがわかった。マニーが葉巻なみに太いマリワナ煙草を出して、一口やんなよ、とアンテクに差し出す前から、もう一目瞭然だった。

たぶん、誰が就職したわけでもクビになったわけでも、軍隊だの何だのに入ったわけでもないのだろう。たぶん、ただとにかくメチャクチャに暑くて、それをダシに馬鹿騒ぎをしたいだけなんだろう。二人ともコークの壜を持っているが、中味が泡を立ててこぼれ出ている。エディはポケットにライムを何個か詰め込んでいて、それが自分の金玉だというふりをしていた。マニーのほうは、ガソリンスタンドで売っているビニール袋入りの氷のキューブを持っていた。氷は半分融けかけていた。二人はそれをわしづかみにして、たがいの頭にかけあったりジーンズに突っ込んだりしながら奇声を上げ、冷たいシャワーでも浴びるように胸や脇の下にこすりつけていた。二人とも野蛮人みたいに見えた。シャツは尻ポケットの上に垂れ、頭にはハンカチが縛りつけられ、目にはサングラス、体は融けた氷と汗とでつるつるだった。人生の盛りだというのに、まるっきり無駄に時間を過ごしている。どっちもひょろひょろに痩せていた。サントラは相当陽に焼けているが、カプスタもかなり近いところまで行っている。サントラは唇の下にちりちりのひげを生やしている。カプスタはライムを投げ上げてお手玉をやろうとしている。

二人はラムを飲んでいたが、それはアンテクがはじめて目にする飲み方だった。アンテクも飲むことに関してはいろいろやってきた――この街でだけじゃない、海軍にいたころは世界じゅうを飲み歩いたのだ。彼が海軍の話をしようとすると、かならず誰かが、ボヘミアの海軍だろとからかったが、そんなことはない。れっきとしたアメリカ海軍だ。

俺たちキューバ・リーブレを飲んでるんだと二人は主張した。でも彼らはそもそもグラスというものを持っていなくて、口のなかでドリンクをミックスしていた。まず小さな氷のキューブからはじめて、つぎにラムを注ぎ、コーク、ライム一絞り、そして一気に飲み込む。飲み込む、というのはどっちかが何か自分たちだけに通じるジョークにぷっと吹き出して、口一杯に頰張ったものをぶちまけてしまわなければの話だ。そうなってしまうと、二人とも喉を詰まらせ、ごほごほ咳き込みながら、腹を抱えて笑った。

「よう、アンテク、あんたにも一杯作ってやるよ」とマニーは何べんも言ったが、アンテクはそのたびに、いや、遠慮するよ、と首を振った。酒のおごりを断るというのは、アンテクにしては異例の言動といってよかった。

こういった事態が、バディーズの店先を舞台に進行していた。ドアが開くたびに、音楽の轟音とエアコンの冷風がわっと飛び出してきた。暑かった。ぶーんと雑音を発するオレンジ色の看板に蛾がぶつかり、ぶつかったとたんに焼け死んだ。オレンジ色の光が点滅する舗道に、規則的なリズムで、蛾たちの燃えがらが落ちてきた。そのかたわらで、子供たちが一セント貨を投げて遊んでいた。ビニール袋に残っていた氷を、マニーが子供たちに分けてやった。子供たちは氷をちゅうちゅうと吸い、ばりばり嚙み砕いた。

それを見ていたアンテクは、まだ氷屋がトラックでバディーズに配達に来ていたころの夏のことを思い出した。幌のついた、平床トラック。革のエプロンをつけた氷屋はたいてい難民だった。ポパイみたいな前腕が、八月でも、寒さで赤くなっているみたいに見えた。そういう連中が、澄んだ巨大な氷の塊を、荷台を滑らせてうしろから舗道に落とす。どーん、という落下音が道の下の空洞に響きわたる。と同時に、氷の奥深くで、澄みきった透明さも砕けてしまった。氷屋は次に、氷塊にフックを引っかけ、舗道を引きずっていく。つるつるした跡が残った。そしてブーツで蹴飛ばすと、氷はバディーズのビール臭い地下室に通じる傾斜路を滑り落ちていった。トラックが行ってしまうと、子供たちは舗道に落ちたかけらを拾って、アイスキャンデーか何かみたいにちゅうちゅう吸った。

氷屋のトラックのことをアンテクが話そうとしても、みんなあまり興味を示さなかった。何であれ、昔の話をしようとしても、誰もあまり乗ってこなかった。アンテクは病み上がりだった。復員軍人病院から退院したばかりだった。怪我もずいぶんしたが、やはり病気がいちばんこたえた。肉屋商売でさんざん切り刻んでしまった自分の両手を、近所の子供たちが見るように、アンテクはまじまじと見つめた。かつて指があった場所の切り株を、まるで他人の物みたいにしげしげと眺めた。けれども、いくら手を眺めまわしたところで絶対に見えてこない場所が自分の奥にあることを、アンテクは感じていた。たとえ見えなくても、指よりもずっと根深い自分の何かが、そこにおいて欠けてしまっているのがわかっていた。軍人病院を退院した彼は、何だかひどく齢をとってしまったような気がしていた。入院していたのはほんの何週間かだったが、町はそのあいだに変わってしまったように思えた。人も変わっていた。はっきりとはわからなかったけれど、何となく彼に対するみんなの接し方が変わって、前よりよそよそしくなったように思えた。生まれ育った町なのに、よそ者になってしまったみたいな気がした――よりによって、自分がいつにもまして、何か根のようなものを必要としているときに。

「よう、アンテク」とマニーが言った。「ちょっと聞きたいんだけどさ。ほら、肉屋の冷凍室であんたの命を救ってくれたっていう女のことなんだけど、その女、いいおっぱいしてた?」

「俺が奇蹟の話をしてるってのに、お前はおっぱいのことしか訊けんのか?」とアンテクは言った。「おれはもうあの話はやめたんだよ。このごろじゃ、いつだって誰かが、その女いいおっぱいしてたかって訊くんだからな。そんなに知りたきゃ、自分で行って見てこい」

事実、子供たちはもう何年も前から、彼女を一目見ようと、貯氷庫侵入を試みていた。この界隈では貯氷庫が幽霊屋敷の代わりになっていた。どの世代も、父親が半裸の娘の死体を抱えて市電に乗った話を聞かされて育っていた。ケジー・アベニューの肉屋の冷凍庫に娘がいまも冷凍されているのをアンテクが見たという話は、尼僧たちまで知っていた。肉屋はもうずっと前に廃業してしまっていた。伝説によれば、もう警察も詮索しなくなってから、娘の遺体は夜中にふたたび貯氷庫に戻されたということだった。だが貯氷庫に押し入るのは容易ではなかった。何年ものあいだそこは、南京錠がかけられ、がっちり板が打ちつけられたままになっていた。

「じきに取り壊されちまうぜ」とエディが言った。「バスで前を通ったら、表にクレーン車が来てた」

「そりゃ大変だ、最後のチャンスだぜ、アンテク」とマニーが言った。「ほんとに彼女があそこにいるんだったら、助けにいったほうがいいんじゃないかね」

「ほんとにいるとも」とアンテクは言った。ふと気がつくと、子供たちもコイン投げをやめて耳をそばだてていた。

「それにさ、あんたは彼女に借りがあると思うけどな。何せ命の恩人なわけだろ——なあ、エドゥアルド？」

立ち聞きしていた子供たちがくっくっと笑った。そして彼らはまたコイン投げに戻った。

「お前らが行くっていうんなら、俺も行く！」とアンテクが大声を上げた。

「ようし、行こうぜ」

アンテクは危なっかしい足取りで立ち上がった。そして、エディとマニーをじっと見つめ、「お前ら、俺の障害者年金が出るまで、ワイン一杯ぶん貸してくれんか？」と言った。

子供たちは通りの角までぞろぞろくっついて来たが、じきに飽きて引き返していった。マニーとエディは着々と歩みを進めた。つねにアンテクの一歩か二歩先を行くようにじわじわとペースを速めながら、時おりたがいに目を合わせて、にやにや笑っていた。でもアンテクにはわかっていた。二人がどれだけ冗談を言おうと、どれだけ口実を並べ立てようと、とにかくこいつらは、自分と同じに、最後に一目彼女を見るために行こうとしているのだ。こいつらの年ごろなら、貯氷庫が閉鎖になるのを自分の目でかろうじて見ている。それは特別な建物だった。子供が目を奪われずにはいられない建物、一度見たら忘れられない建物だった。刑務所の向かいの角に建った、氷を作る工場。ファンがぶんぶん唸り、よろい窓のついた屋根は水滴をしたたらせ、ぱちぱち音を立てている。それ自体が放出する、つんと鼻をつく蒸気の雲に包まれて、建物はほとんど見えなくなっていた。

貯氷庫の前に置かれた氷の自動販売機は、もうすでに撤去されていた。扉には相変わらず南京錠がかかっていたが、クレーン車がうまい位置に置いてあって、マニーとエディならその腕木《ブーム》をのぼってそこから屋根に行けそうだった。

アンテクは下で待った。顔を上げ、刑務所の壁に据えられた、強化ガラスの新しい監視塔をじっと見つめた。彼のいるところからだと、塔の照明の青っぽい蛍光が見えるだけだった。マニーとエディが腕木から屋根に飛び降りるのを、アンテクは見守った。屋根は結構高さがあり、まっすぐ前を見るとそこは監視塔だった。殺し屋か何かみたいに、看守の背中にぴたっと狙いを合わせることもできる。壁の向こうの、うだるような暑さのなかでますます鋳造所に似てきた建物の、薄暗い、鉄格子の入った窓を眺めることもできる。

その下で、アンテクはワインをがぶ飲みしながら立っていた。今夜は取り壊しの決まった建物を眺めるだけで終わりにするつもりはなかった。それ以上に自分が何を期待しているのかはわからない。たぶん何かの香りが嗅げれば、それで十分なのだろう――たとえば、もし自分にあの腕木をのぼるだけの若さが残っていたらいままた嗅ぎとれたかもしれない、記憶のなかでつんと鼻をさすアンモニアの匂い。あるいは、蒸気の雲に包まれてしまったみたいに屋根の上に二人きりで立っているマニーとエディがいま感じているはずの、ひそやかな孤独感。路上では、車の流れが、屋根の上でたった一匹でリズムを刻んでいるコオロギの声をかき消してしまっていた。でも屋根の上ではその声はおそろしく大きく、執拗だった。そのおかげでマニーも、よろい張りの窓を蹴破ってなかに下りるのに、騒音を気にせずに済んだ。かつて自分も冷凍室のなかで目をさましたことがあるとはいえ、夏の夜から建物の床に落ちていくマニーとエディが感じている寒さの衝撃は、アンテクには想像もつかなかった。

さっきここに来る途中、26番通りの線路で、マニーが未使用の安全灯を拾っていた。いま貯氷庫のなかにいる彼らの姿を、アンテクは思い描いた。ハンカチでくるんだ手にマニーが安全灯を握り、筒形花火のようにぐっと前につき出している。ぎらぎらした赤い光が、梁や壁に火花を散らしていた。見るものはあまりなかった——がらんとした四隅、断熱材を巻いたパイプ。二人の息が白かった。彼らはシャツを引っぱった。そして本能的に冷気をたどって進み、金属製の階段に行きあたった。運動靴の裏を通って、寒さが一階からたちのぼってきた。

一階には壊れた製氷機が天井まで積み上げてあった。巨大なエアコンから出ているみたいな感じの風が、機械にはさまれた狭い通路を吹き抜けていた。通路をつきあたりまで行くと、コンクリートのスロープが地下室につながっていた。

奴らは地下室に行きつくだろう、とアンテクは推測していた。名前のない通りの下に伸びている、洞穴のような空間。壁ぎわに並ぶ、ぶ厚い融けかけの氷の柱がこれまで土台の役割を果たしていたかのように、洞穴は少しずつ崩壊している。床も水を吸ったおが屑でぐしょぐしょだ。反響する雨が天井からぽたぽた落ちてくる。空気まで融けかけの匂いがした。肺に吸い込むと、べっとり湿った感じがした。

「寒くて死にそうだぜ」とエディが囁いた。

マニーがゆっくり弧を描いて安全灯を振った。ひび割れた鏡にでも囲まれているみたいに、彼らのまわりでその反射光がきらきら光った。解凍された冷凍庫のコイルにはめ込まれた氷塊がいくつか、壁ぎわの奥まった場所から、水族館のウィンドウのように弱々しい光を返した。氷は不均等に融けかけて、危なっかしい角度に傾いていた。もうおが屑のなかに崩れ落ちてしまったものも何個かあった。落ちた氷たちが、取り残された大寺院の礎石のように転がっていた。マニーとエディは氷から氷へと進んでいき、一つひとつの前で立ちどまっては、表面の水の光沢を拭きとり、氷のなかをのぞき込んだ。だが、深く広がったひび割れの網目が光を屈折させてしまい、見えるのは凍りついた影ばかりだった。何の影かは、想像するしかなかった——魚、鳥、肉の塊、犬、椅子。自転車らしいのもあった。

でもアンテクは確信していた。見ればきっと彼女とわかるはずだ、と。その光を見誤るはずはない。煙まじりの、蛍光灯の光を浴びて、彼女の髪は霜がついた窓ガラスの向こうの蠟燭のように金色に輝くだろう。二人が彼女を連れ出してくるのをアンテクは待っていた。ワインはもう飲んでしまった。道路に投げ捨てた一パイント壜は粉々に割れてしまっていた。あたりには誰もいなかった。彼は辛抱強く待った。ほかに行くあてはなくても、長い待ち時間であることに変わりはなかった。とことん待つ気はあったが、それでも彼は考えずにはいられなかった——人生でもう一度奇蹟を受けるだけの時間が俺には残っているんだろうか、と。さっきから、コオロギの声が聞こえるようになっていた。音楽ではなく、時間を作曲しているコオロギが、頭を下にして、屋根から煉瓦の壁へそろそろと降りてきていた。その声を聞きながら、アンテクは向かいの刑務所の沈黙をひしひしと感じとった。壁の向こう側にいる男たちみんなのことを彼は考えた。何人がまだ起きていて、コオロギの声を聞いているのだろう。重苦しい夜のなかで汗をかきながら、何人が辛抱強く待っているのだろう。

マニーとエディは、体をぶるぶる震わせ、氷をつかんで麻痺した手で奥の扉の閂《かんぬき》を外した。外は貯氷庫の裏手の積み下ろし台だった。二人は古びたトロッコを押し出し、積み下ろし台のすぐ前まで伸びている線路に乗せて転がした。彼らはすでに、その氷の塊をトロッコの上に乗せ、カンバスのシートで覆う作業を終えていた。ゆっくり、少しずつそっと動かしても、氷がぱりぱりと音を立てるのが聞こえた。氷塊は大きさのわりにあまりに軽く、華奢に思えた。いまにも真っ二つに割れてしまいそうだった。

「何だか誘拐でもしてるみたいだな」とエディが囁いた。

「氷のことだけ考えろよ」

「無理だよ」

「とにかく彼女をこんなとこに置き去りにはできないぜ、エドゥアルド」

「俺たち、彼女をどうするんだ?」

「何か考え出すさ」

「アンテクは?」

「奴のことは忘れろ」

彼らはトロッコを押していった。はじめのうちは錆びのせいで思うように進まなかったが、線路が川に向かうにつれて、だんだん勢いがついていった。それはボートの漕ぎ方を覚えるのに似ていた。鉄橋まで来たころには、リズムもすっかり身についていた。スピードが風を生み、髪は吹き上げられ、シャツはぱたぱたと開き、シートが氷からまくれ上がった。摩天楼の輪郭が、前方にぼんやりと光っていた。湖は見えなかったが、それが高層ビルの彼方に広がっているのをマニーは感じることができた。かつて、水中に潜っていって、すいすいと滑るように泳いでいったときに感じた、突然の自由の軽やかさがよみがえってきた。あのときは、ひとつの瞬間が次の瞬間のなかに広がっていくとともに、水の流れが彼のなかから記憶を洗い流してくれた。自分の息づかいもその沈黙を妨げはしなかった。ワカサギはもう姿を消してしまったことだろう。どこへだかは知らないが、とにかく彼らが消えていくべきところへ消えてしまっただろう。でも釣り人たちはまだ残っているはずだ。防波堤のへりに座って、街に背中を向け、魚を夢見ているはずだ。そしてもし釣り人たちがまだ彼の名前を覚えているなら、いままた彼らは、その名を呼ぶかもしれない。何度もくり返し、コーラスのように揃った呼び声が、暗い水面の上に響きわたるかもしれない。だがマニーは知っていた。今度は絶対に引き返さないだろうと。彼はいまや知っていた、自分たちが彼女をどこへ連れていこうとしているのかを、彼女がついにどこで解放されるのかを。彼らは先を急いだ。腰まである雑草をかき分け、工場の背後に広がる平原を渡り、いくつもの鉄橋や陸橋をがたがた音を立てて横断しながら。彼らの下では、街灯の光が、古い工業地帯のなかで水のようにゆらめいていた。汗に光る体を鞭打ち、すでに融けて自由となった娘を両側から押しながら、彼らはなおいっそう速度を増し、二人の船乗りのように漕いでいった。

なくしたもの

もしかしたら夢のなかで聞いたのかもしれないが、僕らが18番通りで剝製師の上の階に住んでいたころ聞いたラジオ番組のことを僕は覚えている。それは子供が放送局に電話をかけて、自分がなくしたものを報告するという番組だった。コードリング、おもちゃのピストル、ボール、人形――報告されるのはいつでもその子のいちばんの宝物だった。おもちゃならまだいいほうで、なくしたのがペットということもあった。犬や猫だけではない。ハムスター。インコ。安売店で買った、甲羅に色を塗った亀。

僕がその番組を聞くのは、いつも偶然のことだった。ダイアルをいじっていると、耳に飛び込んでくるのだ。終わるとそれっきり忘れてしまい、いずれまた出くわすたびに、前にそれを聞いたときの時間を生き直しているような気持ちになった。いなくなったペットたちのことを聞くと、僕はいつも、下の階に住んでいる老いたハンガリー人のことを考えた。みんなが言うには、このハンガリー人は野良猫をつかまえて皮をはぐという話だった。それから僕は、自分の秘密のペットのことを考えた。それはハンガリー人の店の陰気なウィンドウに飾ってある狐たちだった。埃っぽいシダのジャングルのなかで狐たちのガラスの目は猛々しく光り、唇は永遠のうなり声を上げてぐっとうしろに引かれていた。

まるで魔法のように、番組が終わるまでには、なくしたものはすべて見つかった。どうやってそんなことができたのか、いまだにわからない。そして自分がこう考えたのを僕は覚えている――放送局に電話して、僕が前からずっと欲しかったものを、なくしたと報告したら、うまく行くだろうか？僕には思えたのだ。誰かが何かをずっと欲しがっていたなら、自分のものになったことはなくても、やっぱりそれはその誰かのものじゃないだろうか？そしてそれは、なくしたものじゃないだろうか？

Lost

ペット・ミルク

僕は今日、雪が降るのを眺めながら、ペット・ミルクを入れたインスタントコーヒーを飲んでいる。べつに味が素晴らしいからではない。ペット・ミルクがコーヒーのなかで渦を描くのを見るのが好きなのだ。そもそもペット・ミルクでいちばん好きなのは、缶切りを缶の表面に食い込ませる瞬間だ。缶自体も独特である――コンパクトで、表面には継ぎ目も見えず、形からしていかにもミルクを濃縮しそうだ。缶切りがその刃をすうっと食い込ませると、どろっとした液体が三角の溝からこぼれ出る。それはミルクとは見かけも粘りも違う液体だ。ペット・ミルクは本物のミルクではない。まず色からして冴えない。何となく、古い象牙のように、過ぎた昔を思わせるところがある。僕の祖母はコーヒーにかならずペット・ミルクを入れて飲んでいた。知りあいの人たちがうちに寄って、台所のテーブルに集まるたびに、祖母はいつも「クリームとお砂糖は入れる?」と訊いた。クリームというのはペット・ミルクのことだった。

祖母の台所のテーブルには、黄色いプラスチック製のラジオがあった。だいたいいつもポルカ専門の局に合わせてあったが、時おりダイヤルを目盛り半分くらい合わせそこなって、代わりにギリシャ語の局や、スペイン語、ウクライナ語の局が聞こえてきたりした。僕らが住んでいたシカゴでは、ヨーロッパじゅうの、相容れないいくつもの国家が、雑音の多いダイアル右端のあたりに一緒くたに詰め込まれていた。英語が聞こえてこないかぎり、祖母には気にならないみたいだった。ラジオは低い音量でいつもかならず鳴っていた。ボディの上部は歪み、側面も真空管付近が琥珀色に変わりかけていた。冬の午後に、学校から帰ってきて聞いたラジオの音を僕は思い出す。祖母のテーブルの前に座ってそれを聞きながら、湯気を立てているコーヒーのなかでペット・ミルクが渦を巻き、雲のような模様を描くのを僕は見つめるのだった。ふと窓の外に目をやると、通りの向かいの鉄道操車場の上で、空も同じことをやっていた。

そして僕は、ずっとあとになって、それと同じ渦巻く空を、小さなリキュールグラスのなかに見たことを思い出す。グラスにはキング・アルフォンスと呼ばれるドリンクが入っていた。クレーム・ド・カカオがぼっぽっと煙のようにくり返し立ちのぼり、とろっとしたクリームの層をつき破って、万華鏡を思わせる華やかな雲を開かせるのだ。それを見たのは、ピルセンという小さなチェコ料理屋でのことだった。僕は時どきそこへ、ガールフレンドのケイトと一緒に夕食に出かけたのだ。二人とも大学を出て最初の年だった。本物の仕事が見つかって、僕らは自分でもびっくりしていた。もう学生のころみたいに、ウェイトレスやガソリンスタンドのアルバイトに明け暮れなくていいのだ。僕は銀行に就職して、信用照会状を調査する仕事をしていた。ケイトは投資会社のホーンブロウアー＆ウィークスで、タイピストよりわずかに格が上の仕事をしていた。僕は研修用の映画を何本も見せられた。適切な服装、きちんとした身だしなみ、清潔さの習慣等々の重要性を説く映画である。僕みたいに地下の交換台で働く連中にまでそういうことを教え込むのだ。ケイトの会社には、勤務に適した衣服に関する内規があった。たとえば、スカートは膝が隠れる長さがなくてはならない。ケイトは素敵な膝をしていた。

ケイトと僕は時どき、仕事が終わったあとピルセンで待ちあわせた。二人ともまだ仕事用のきちんとした服を着ていて、何となく気恥ずかしいような、と同時に何だかすごく偉くなったような気持ちがした。変装したペテン師みたいな気分だった。店には小さな丸い樫のテーブルがいくつもあった。僕らは隅っこの、「プラハの街頭音楽師たち」と題する絵の下のテーブルに座り、将来の計画を、まるで逃走経路でも相談するみたいに話しあうのだった。ヨーロッパの大学院に留学しようかな、と彼女は言った。平和部隊に入りたい、と僕は言った。そういう話をするとき、僕たちはよく笑った。たがいにとても親密な気持ちになった。でも、まさにそういう計画ゆえに、僕たちは一時的以上の関係には絶対になれない気もした。こうしてケイトと一緒にいるのに、僕はもう彼女がいなくなって寂しいような気分を味わっていた。ケイト以外の女の子に、こんな気持ちになったことは一度もなかった。

ピルセンのウェイターは、長い白のエプロンをつけて、その上に短めの黒い上着を着ていた。彼らは旧世界から来た年配の男たちだった。何べんか通《かよ》ったおかげで、僕らには馴染みのウェイターができていた。ルーディという名で、本人はそのRを巻き舌で発音した。ルーディは鱒の骨を抜いてくれたり、サラダにドレッシングをかけてくれたりした。そして食事が終わると、バーからクレーム・ド・カカオのボトルを持ち出し、小さなグラスを二つと、濃いクリームの入った小さなピッチャーと一緒にテーブルに運んできて、その場で僕らにキング・アルフォンスを一杯ずつ作ってくれた。僕らに見守られながら、ルーディはシロップのような茶色いリキュールをグラスの半分あたりまで入れ、それから、慎重な手付きで、その上にクリームの膜を浮かせようとした。もしクリームがうまく浮かなかったら、その一杯はただになるのだ。

「ねえ、そもそもキング・アルフォンスって誰なの、ルーディ？」と僕は時おり、彼の集中力を妨げようとして訊いた。それでもだめだと、ルーディがまさにクリームを浮かせようとする瞬間に、片足でテーブルをそっと揺すって、グラスをわずかに動かそうとした。たいてい一杯は店のおごりになった。ルーディも僕の悪戯を承知していた。そもそもキング・アルフォンスを作るというのはルーディの思いつきだったし、テーブルを揺らすというアイデアも彼のほうから仄めかしたのだ。たぶん彼も楽しんでいたのだと思う。もっとも、僕がリキュール・グラスをじっと睨みつけ、飲み物が描く模様を凝視しているのを見ると、ちょっと不安そうな顔をした。

「顕微鏡じゃないんだよ」と彼は言った。「飲みなさい」

ルーディは僕たちのことが気に入っていた。僕たちもチップを余分にあげた。ピルセンにいるのはいい気持ちだった。ちゃんとした食事をするお金があるのはいい気持ちだった。

僕の二十二歳の誕生日に、僕らはピルセンで待ちあわせた。五月の、季節外れに暑い日で、僕はネクタイをほどいていた。ディナーのメニューも見ないうちから、僕らはマムズのボトルを一本取り、牡蠣を一ダースずつ注文した。氷に載った牡蠣を持ってきたルーディが、思わせぶりのジョークを言った。牡蠣は開けたてで、海の匂いがした。牡蠣が媚薬だということをネタにした冗談は前にも聞いたことがあったが、そんなのはどうせ神話だろうと僕は思っていた。旧世界でいまだに信じられている迷信のたぐいだろうと思ったのだ。

僕たちはレモンを絞ってかけ、ホースラディッシュをつけて、牡蠣を口のなかに滑り込ませた。それから殻をシャンペンですすぎ、塩《しょ》っぱい、冷たい汁を飲んだ。隣のテーブルでカッレツを食べているでっぷり太ったカップルが、嫌悪感もあらわに僕らをじろじろ眺めた。中西部で人前で牡蠣を食べていると、よくそういう目で見られるのだ。僕たちは笑って、牡蠣の汁を飲み干した。飲むペースが速すぎて、僕はもうほろ酔い気分になっていた。体のなかに、幸福感にみちた、胸が疼くほどの活力がみなぎり出していた。ケイトがシャンペンのなみなみ入った牡蠣の殻を僕に向けて持ち上げ、「平和部隊に乾杯！」と言った。

「ヨーロッパに乾杯！」と僕も応えて、僕たちは殻をかちんと鳴らした。

ケイトは自分のワイングラスを僕のグラスに触れて、「誕生日おめでとう」と囁いた。そして、出し抜けにテーブルごしに身を乗り出し、僕にキスしてくれた。

ふたたび腰を下ろすと、ケイトの頬は紅潮していた。テーブルの上の、ガラスの額に入った「プラハの街頭音楽師たち」に、彼女の顔が映って見えた。いつもなら僕は、ケイトが鏡や窓に映っているのを見るのが大好きだった。映し出された彼女の美しさは、何度見ても僕をはっとさせた。一度、面と向かってそう言ってみたら、その褒め言葉をさえぎるように、「それはあなたが、何に目を向けたらいいかを覚えたからよ」と彼女は言った。まるで僕が、偶然何か大きな秘密を発見したみたいな言い方だった。でもその晩、架空のプラハに幽霊のように浮かぶケイトの鏡像を見ていると、何だかまるで、彼女が消えてしまった未来を見せられたような気がした。僕にはわかっていた。僕にとってこれ以上美しい女の子にはもう絶対出会えないだろう、と。

僕らはシャンペンを飲み干し、テーブルごしに指をからませて座っていた。僕は汗をかいていた。テーブルの下で、彼女の体の温もりがスカートを通して伝わってきた。僕は彼女の脚に手を触れた。僕らはまだ食事を頼んでいなかった。僕はテーブルにお金を置いた。二人とも危なっかしい足取りで、たがいに導きあうように店を出た。

「ルーディはわかってくれるよ」と僕は言った。

街は目もくらむほどのまぶしさだった。赤っぽい太陽が、いちばん高いビルのすぐ上で斜めに照っていた。僕はスーツの上着を脱いで、肩に引っかけた。僕たちは靴屋の店先で立ちどまってキスをした。

「どこかへ行きましょうよ」とケイトが言った。

僕のアパートのほうが近かったけれど、僕のルームメートはもう帰ってきているだろう。彼女の住まいは北のエヴァンストン。それははてしなく遠いところに思えた。

僕たちは近道をして裏通りを抜け、消防署の前を通って、小さな公園に着いた。でも門には鍵が掛かっていた。背の高い鉄柵の前で、僕は彼女を抱き寄せた。柵のすぐ向こうの茂みに生えたライラックの香りが漂ってきた。頭上に垂れている枝に飛びつこうと、僕は思いきりジャンプした。シャツの裾が、柵の尖った先に引っかかって破れてしまった。若枝が僕の手から弾け出て、花弁が雨のように僕たちの頭に降ってきた。

僕たちは地下鉄の駅まで歩いていった。夕方のラッシュは終わりかけていた。僕らが乗ったのはたぶん、エヴァンストン方面に行く最後の快速列車だったのだろう。トンネルを出て高架線路に出ると、列車は終点のハワードまで止まらなかった。二人一緒に座れる席は空いていなかったので、僕たちは車両のいちばん前で、揺られながら立っていた。その横は空っぽの車掌室だった。僕らは体を横にして狭い空間に身を押し入れた。僕はドアをかしゃっと閉めた。

北へ向かって疾走する列車は、がたごとと弾むように揺れた。僕たちはキスをしながら、体で列車のリズムをつかまえようとしていた。太陽が僕らの乗っている側の窓をブロンズ色に染めた。僕はケイトのスカートを膝の上まで持ち上げた。さらに高く引き上げると、太陽が彼女の太腿に当たって輝いた。僕はスカートを彼女の腰にたばねた。彼女はキスをやめなかった。腰をくねらせて、彼女は、列車のごとん、ごとんという揺れに僕たちを貼りつけようとしていた。

列車は見るみる、焼け焦げた煉瓦の壁を過ぎ、灰色の窓を過ぎ、太陽と屋根と樹木に縁どられた裏庭を過ぎていった。僕にとっては、生まれてからずっと高架に乗りつづけて、隅から隅まで知りつくした風景だった。フラートンを越えたあたりの、足の絵を描いた、足病専門医の看板。アディソンの、リグリー球場にたなびく華やかなペナント。剝げかけた裏壁に「一夜泊り歓迎」と看板を出したおそろしく古いホテル。破れかけた紙も落書きで汚れた広告板。ウィルソン・アベニューに出る直前の古い共同墓地。わざわざ見なくても、自分たちがいまどこにいるのか、手にとるようにわかった。車掌室のなかで、僕たちのせわしない息づかいは、線路の喧噪よりも大きく聞こえた。僕はスピードを緩めようとしていた。すべてをもっと長続きさせようとしていた。そして、彼女が手で僕の口を覆うと、僕は窓の方をふり返り、外を見た。

列車は少し速度を落としていた。通過駅の前を過ぎるたびにそうするのだ。木造の細長いプラットホームの上のぼやけた顔たちが、僕らの列車が通過するのを眺めているのが見えた。折りたたんだ新聞からふと目を上げたサラリーマン、ハンドバッグや買物バッグをしっかり抱えた婦人たち。一つひとつの顔に浮かぶ表情も見えた。列車が目の前を飛ぶように過ぎる瞬間、一瞬それらの表情が静止する。たぶん十六歳くらいだろう、シャツの袖をまくり上げて小わきに教科書を抱え、口に煙草をくわえていた高校生が僕たちに気づき、その姿が見えなくなる直前に、にやっと笑って手を振りはじめた。次の瞬間、高校生はもう消えていた。僕は窓からケイトに目を戻し、何もかも忘れてしまった。通過駅も、夕焼け空も、彼女がいなくなって寂しいような気持ちさえも。でも、振りはじめたままぴたっと静止したその腕だけは忘れなかった。まるで、僕自身が教科書を抱え煙草をくわえてあのホームに立っているような気がした——かつて、放課後の、はてしなく積み重ねられていった午後に、まるで時間の外に出てしまったみたいにぽつんと列車を待っていたときのように。そして僕は思うのだった。あのころ、僕らみたいなカップルが通過していくのが見られたらきっと素敵だったろうな、と。

訳者あとがき

ニューヨークの愛称がビッグ・アップルであるように、シカゴといえばウィンディ・シティ、「風の街」である。禁酒法時代のシカゴを舞台にした自由劇場のミュージカル『もっと泣いてよフラッパー』でも、吉田日出子が「風の街　風の街　ウィンディ・シティ　オー　ここでは何もかもが　すぐにおじゃんになっちまう」とけだるそうに歌っていた。

実はこの Windy City という言葉、はじめから「風の街」という意味だったのではない。元来は「口ばっかりの街」という意味であった。十九世紀末、コロンブスのアメリカ到達四百年を記念する万国博覧会の開催候補地としてシカゴが名乗りをあげたときに、「あんな口ばっかりの街に万博ができるものか」とニューヨークのジャーナリストが罵ったのがはじまりだという。経済的にも文化的にも中西部随一の大都市も、当時の東部人から見れば、田舎者が何を偉そうに、という感じだったわけである。結局万博はシカゴで開かれ、大成功を収めた。

だがいまでは、ほとんどの人がウィンディ・シティとは「風の街」の意味だと思っている。気象学的にみて、本当にほかの都市より風が強いかどうか実は怪しいものであるらしいが、そういう誤解が正解として通用してしまうほど、シカゴという街が、風が吹きそうな街であることは確かである。ミシガン湖に面して平べったい土地がどこまでも広がり、道路もまっすぐのびて見通しもいいし、ニューヨークほどビルも密集していない。いかにも風の通りがよさそうな街なのである。

風通しがいい街には、いろんなものが風に吹かれてやって来て、またいつか風に吹かれて去っていく。シカゴは交通の街である。運河や鉄道の時代から東部工業地帯と西部農業地帯を結ぶ要所だったし、シカゴのオヘア空港はいまも全米一の忙しさだ。ジャズもニューオリンズから北上してきてシカゴにたどり着き、やがてニューヨークに流れていった。

ネルソン・オルグレン、カール・サンドバーグ、ソール・ベロー、とシカゴを印象的に描いた作家は多いが、このように「いろんなものが通り抜けていく街」としてのシカゴを現在きわめて魅力的に描いているのが、スチュアート・ダイベックである。

一九四二年にシカゴに生まれ、シカゴで育ったダイベックが、都市のどのあたりで育ったかは定かでないが、その作品からみて、シカゴの南側の、東欧系の移民の多い、裕福とは言いがたい下町で育ったことはまず間違いない。ダイベックの描くシカゴは、アメリカとはいえ旧世界の記憶が色濃く残る、不思議な奥行を備えた空間である。そこでは50年代のロックンロールとともに、ポルカのリズムがいつもどこかで響いている。野球場の喚声が遠くから漂ってくるとともに、聞き慣れない言語で祈りを唱える老婆たちの声が聞こえてくる。ロックンロールや野球がアメリカのメインストリーム文化を代表しているとすれば、ポルカや老婆の祈りはエスニックな旧世界的文化を代表しているといっていいだろう。ダイベックの小説は、そのどちらを肯定するでも否定するでもなく、さながらシカゴを吹き抜ける風のように、二つの世界のあいだをしなやかに行き来する。ラジオ、鉄橋、ガード下、あるいは家のなかの通気孔、といった人や物や音が行き交う場をダイベックは好んで描く。ほとんどの作品がおそらくは一九五〇年代のシカゴの下町を舞台にしていながら、不思議に息苦しさを感じさせないのも、そうした「風通しのよさ」の賜物ではないかと思う。

風が吹き抜ける街では、人間もまた、代わるがわる現われては、またいつか消えていく。亡命者として世界中を転々とする「ファーウェル」の老ロシア人。放浪の生涯を送ってきた「冬のショパン」の祖父。彼らばかりではない。ダイベックの世界には、誰であれ人がいつ消えてしまっても不思議はないような危うさがつねに漂っている。下町の匂いや喧噪を濃密に感じさせる一方で、淡い無常感のような思いが伝わってくるところが、この作家の大きな魅力である。

本書『シカゴ育ち』（原題 *The Coast of Chicago*）は一九九〇年に発表されたダイベックの第二短篇集で、いまのところ彼の最新作である。いわゆる短篇小説と、さらに短いショート・ショートとが交互に配され、全体のまとまりをかなり意識しているのがわかる。いわばシカゴの町そのものを主人公とする連作短篇といった感がある。収録作は一九八一年から九〇年にかけて発表されたもので、この単行本にまとまる以前にもいくつものアンソロジーに収録されており、「荒廃地域」「熱い氷」「ペット・ミルク」は毎年すぐれた短篇小説に贈られるO・ヘンリー賞を受賞している（このうち「熱い氷」は85年度の最優秀賞）。一連のショート・ショートは、ダイベックが敬愛する川端康成の『掌の小説』に触発されてもいるという。

ダイベックのこれまでの著作には、詩集 *Brass Knuckles* (1979) と第一短篇集 *Childhood and Other Neighborhoods* (1980) がある。詩集のほうは、なかには相当シュールなものもあるが、その一方で、小説にもそのままつながるような、ほとんど散文に近いスタイルでシカゴの日々を綴った作品も多い（事実、本書に収めた連作「夜鷹」のなかの「笑い」の章は、この詩集中の「夢」という作品の一部を再利用したものである)。第一短篇集はやはりシカゴの少年時代を題材にしたものが多い（タイトルは「子供のころ」Childhood と「近所の町」Neighborhood 両者の hood を掛けている)。本書と較べて旧世界的な雰囲気が濃密であり、少年が世界に対して抱く不安や恐怖がより生々しく書かれている点が主な違いだが、出来栄えとしては甲乙つけがたい。機会があればこちらもぜひ訳してみたいと思う。

本書を訳すにあたり、簡単な注釈は本文中に組み入れたが、長めの説明をいくつかつけ加えると——

「冬のショパン」に出てくる、主人公の祖父のジャ＝ジャ（Dzia-Dzia）という名は、ポーランド語の dziadek（祖父）から派生した愛称である。日本語でいえば「じっちゃん」というところか。もっともアメリカでも、これが「祖父」を表わす語から出ているとわかる読者はほとんどいない。

「右翼手の死」に出てくる、40センチ・ソフトボールの「40センチ」（原文は「16インチ」）はボールの円周を指す。直径に換算して約13センチということになる。ちょっと大きすぎるんじゃないかと思って作者に問い合わせてみたところ、これはシカゴのみで発達した独特のソフトボール・ゲームだそうで、マスクメロン大のボールを用い、グラブは使わず、ベース間の距離なども標準のゲームとは違っているということ。やや小ぶりのドッジボールで野球をやるような感じらしい。

連作「夜鷹《ナイトホークス》」には実際に鳥の夜鷹も出てくるが、*Nighthawks* というタイトルは同時に、エドワード・ホッパーの有名な絵のタイトルでもある。この連作のなかの「不眠症」の章も、ホッパーの絵を素材に、そこから自由にイメージをふくらませたものである。日本語で夜鷹といえば、かつてはその筋のお姐様を指したわけだが、英語の nighthawk は、「宵っぱり」「夜ふかし常習者」のことをいう。ホッパーの *Nighthawks* も「夜ふかしをする人たち」「深夜の人たち」などと訳されている。

同じく「夜鷹」のなかで、「黄金海岸」の原題は *Gold Coast*。むろん元々はアフリカの地名であり、ダイベックもそのイメージをふまえて書いているが、と同時に、シカゴでGold Coastといえば、都心部からやや北、ミシガン湖に面した、ホテルや高級マンションが立ちならぶ地域をさす。「荒廃地域」のなかで、下町の少年たちがオーク・ストリート・ビーチのことを「違いのわかる人間が選ぶビーチ」だと思っている、という記述が出てくるが、このビーチは黄金湖岸のなかではいちばん南の方に位置している。社会地理学的にいえば、㊎地帯のうち㋐地帯にもっとも近いところということになる。

「なくしたもの」に出てくるコードリングとは、あるラジオ番組のスポンサーの商品（たとえばコーンフレーク）の箱の一部を送るともらえるプラスチックの輪で、この輪を使って、番組の最後に放送される暗号を解くことができる。もっとも、ダイベック氏によれば、せっかく暗号を解読しても、たいていはひどくつまらない内容だったという。

作者の名前について。Dybekは本来「ディベック」と読むのが正しい。が、生まれ育った町の外では誰もそう読んでくれず、みんな「ダイベック」と読んでしまうので、現在ではディベック氏本人もダイベックと名乗ることにしたそうである。ディベック／ダイベック氏は現在ミシガン州カラマズーに住み、奥さんと子供二人の四人暮らし。ウェスタン・ミシガン大で文学を教えながら小説を書いているが、写真で見るかぎり（人のことはいえないけど）あまり大学の先生という感じはしない。

私事を一つ書かせていただく。この短篇集を訳しはじめた時点で、東京23区最大の農業地帯に位置する練馬区東大泉から、東京23区最大の工業地帯に位置する大田区南六郷に引っ越した。キャベツ畑の匂いに代わって、今度は町工場の油の匂いが漂う町である。生まれ育った町のすぐそばとはいえ、住むのはほぼ二十年ぶりとなると何かにつけて結構刺激的で、近所を自転車で散歩していても、まさに「荒廃地域」そのままの、「何ブロックも続く工場、線路、トラック置場、産業廃棄物処理場、鉄くず置場、高速道路、下水運河などに囲まれながら、人々が自分の日常生活を何とかそのなかに割り込ませている」風景がどこまでも続いていて、何だか現実までダイベックの世界の延長みたいに感じられたものである。そんなわけでこの訳書も、いつにも増して愛着のある一冊となった。多くの方に訳者の愛着を共有していただけるよう祈っている。

最後に、お世話になった方々にお礼を申し上げたい。アンソロジー『and Other Stories』(文藝春秋)に「荒廃地域」を訳出したときにお世話いただいた岡みどりさん。「冬のショパン」を『すばる』92年1月号に掲載する機会を与えてくださった釣谷一博さん。このあとがき前半の元になっている文章「アメリカの都市で人はどのように消えるのか」を『東京人』92年2月号に書かせてくださった近藤憲弘さん。例によって映画に関し御教示くださった服部滋さん。そしてもちろん、この翻訳の刊行を可能にしてくださり、編集を担当していただいた平田紀之さん。みなさん、どうもありがとうございました。

柴田元幸

Uブックス版に寄せて

一九九〇年に本書『シカゴ育ち』を刊行して以来、スチュアート・ダイベックは素晴らしい短篇を着実に発表しつづけてきた。そのうちの二篇は、すでに拙訳も出ている（「僕たちはしなかった」柴田編訳『夜の姉妹団』朝日文庫所収、「ペーパー・ランタン」『エスクァイア日本版』一九九七年十二月号）。もうとっくに第三短篇集が出ても不思議はないのだが、何しろこの『シカゴ育ち』をお読みいただければわかるように、構成には大変凝る人なので――いや、「凝る」という言い方も、冷たい知的操作を感じさせてしまって、この人の場合かならずしも相応しくないかもしれない――単に数が揃えば出版とはなかなか行かず、ファンをやきもきさせていたが、ようやく二〇〇三年十一月、第三短篇集 *I Sailed with Magellan* が出ることになった。ものすごく楽しみである。

この翻訳を九二年に出して以来、何人もの読者が、あなたが訳した本のなかでこれがいちばん好きだ、と言ってくださった。決してたくさん売れた本ではないが、読んでくださった方の胸には、確実に何かが染み込んでいるという手応えはある。ほかの作家たちには悪いけれど、僕自身も、いままで訳した本のなかでいちばん好きな本を選ぶとしたら、この『シカゴ育ち』だと思う。だから今回、この本がUブックスに仲間入りして、多くの方々の手に届きやすくなって、とても嬉しい。長きにわたって、多くの人に愛されますように。

二〇〇三年七月　　柴田元幸

本書は1992年に単行本として小社から刊行された。

白水uブックス 143

シカゴ育ち

訳　者 © 柴田元幸《しばたもとゆき》
発行者 川村雅之
発行所 株式会社 白水社
東京都千代田区神田小川町3-24
振替 00190-5-33228 〒101-0052
電話 (03) 3291-7811 (営業部)
(03) 3291-7821 (編集部)
http://www.hakusuisha.co.jp
乱丁・落丁本は送料小社負担にてお取り替えいたします。

2003年7月10日第1刷発行
2007年12月10日第8刷発行

本文印刷 理想社
表紙印刷 三陽クリエイティヴ
製　本 加瀬製本
Printed in Japan

ISBN 978-4-560-07143-4

スチュアート・ダイベック　柴田元幸訳
僕はマゼランと旅した
『シカゴ育ち』の著者による短篇集。シカゴの下町を舞台に日常の中の冒険が豊かな叙情と卓抜なユーモアで描かれる。

ポール・オースター　柴田元幸訳
鍵のかかった部屋
失踪した友の足跡を追ううちに自己を見失っていく「僕」。現実と虚構、自己と他者の境界の不分明を描く傑作。
*

ポール・オースター　柴田元幸訳
最後の物たちの国で
行方不明の兄を探して悪夢のような国に乗り込んだアンナ。極限状態における人間の愛と死を描く20世紀の寓話。
*

スティーヴン・ミルハウザー　柴田元幸訳
マーティン・ドレスラーの夢
想像力を武器に成功してゆく若者の夢は、それ自体がひとつの街であるようなホテルの造営だった。ピュリッツァー賞受賞作。

スティーヴン・ミルハウザー　柴田元幸訳
イン・ザ・ペニー・アーケード
遊園地、魔術師、からくり人形……現代のロマン主義者が圧倒的な想像力で紡ぐ、巧緻極まりない短篇集。
*

スティーヴン・ミルハウザー　柴田元幸訳
三つの小さな王国
絵の細部に異常にこだわる漫画家、王と王妃の確執、呪われた画家の運命。俗世を離れてさまよう魂の高揚を描く中篇小説集。
*

スティーヴン・ミルハウザー　柴田元幸訳
バーナム博物館
自動人形、盤上ゲーム、魔術、博物館……。夢と現実の境を取りはらった驚異のミルハウザー・ワールドへようこそ！
*

スティーヴ・エリクソン　柴田元幸訳

黒い時計の旅

強烈な幻視力によって「もうひとつの20世紀」を夢想した、現代アメリカ実力派作家による最良の小説。　＊

バリー・ユアグロー　柴田元幸訳

セックスの哀しみ

『一人の男が飛行機から飛び降りる』が大ヒットしたユアグロー、待望の第二弾。愛と性をめぐる奇想天外な九十の超短篇。

マイケル・リチャードソン編　柴田元幸／菅原克也訳

ダブル／ダブル

「この世のどこかに、あなたと同じ人間がもう一人いる」。楽しくも恐ろしい現代の「分身小説」を集めた珍しいアンソロジー。　＊

デイヴィッド・ロッジ　柴田元幸／斎藤兆史訳

小説の技巧

古今の名作を素材に、小説の書き出し方、登場人物の命名法など作家の妙技を解明し、小説味読の楽しみを倍加させる。

柴田元幸著

生半可な學者

現代アメリカ小説名翻訳家の処女エッセイ集。「肉ジャガとステーキに見る日米文化の差異は」などためになる話が満載。　＊